# ESCUCHANDO A
# DIOS

## BENJAMIN DIXON

Ignite Global Media
Federal Way, Washington

Website: www.igniteglobalministries.org
Email: info@igniteglobalministries.org

Empowered by

**Library of Congress Cataloging-in-Publication Data**

Library of Congress Control Number: 2020904513

ISBN:  978-1-950742-06-6 Paperback
       978-1-950742-07-3 ebook
       978-1-950742-08-0 ebook

Printed in the United States of America

# RECONOCIMIENTOS

Este libro es el resultado directo del amor, la fe y la oración por mi de muchas personas durante los últimos años. Aunque decir "gracias" no sea suficiente, ofrezco estas gracias reconociendo a todos los que contribuyeron tanto en este proyecto como en los muchos que seguirán, por los cuales me encuentro muy agradecido.

A mi esposa Briggit, tú eres sorprendente, realmente sorprendente, y sin tu constante apoyo y duro trabajo, esto nunca hubiera podido ocurrir. A mis hijos, gracias por compartir a su papi con otros y entender que el evangelio requiere de nosotros que demos tanto como recibir. Los amo chicos.

Quiero honrar también a mis actuales y pasados mentores quienes me ayudaron a encender y nutrir mi amor por Dios, estudiar su palabra y ministrar a las personas. Son tantos para enumerarlos, pero estoy tan agradecido por su influencia que quiero que sepan que las páginas de este libro contienen partes de sus corazones también.

A mi equipo y directorio de Ignite Global Ministries— ustedes chicos son familia y estoy tan agradecido de correr con ustedes en todo lo que Dios nos ha llamado a hacer. Gracias por su duro trabajo y por creer en la visión mientras desarrollábamos *Escuchando a Dios*. ¡Esto es lo que el ministerio debería de ser!

A la iglesia Mill Creek Foursquare —¡GRACIAS por todo! Ustedes han orando por mí, me han apoyado financieramente, han tolerado mis largas predicacíones, pero lo más importante, me han permitido crecer en comunidad. Yo escribí este libro a través de muchas experiencias que compartí con ustedes en nuestra comunidad y no podría haber sido de otra manera.

A cada uno de los que participaron en las reuniones pasadas de "Escuchando a Dios", ¡gracias! Ustedes probablemente no fueron conscientes que fueron la probeta para realizar este producto final, y ni siquiera yo lo hice en el tiempo. Todas las reuniones de "Escuchando a Dios" demandaron un proceso de refinamiento que está finalmente reflejado en cada página de este libro. Aunque no he visto a muchos de ustedes por algún tiempo, los extraño y a menudo pienso en ustedes.

# COMENTARIOS

"La disciplina de escuchar a Dios se ha perdido ampliamente en la iglesia occidental, y ha sido reemplazada por un énfasis en estudiar la Biblia en lugar de vivir el mensaje. Ben Dixon, en *Escuchando a Dios*, hace práctica la enseñanza bíblica que dice que Dios habla en una variedad de formas a aquellos que escuchan. Las ovejas de Dios 'oyen' su voz (Juan 10:27). Extrayendo de su extensa experiencia, Dixon enseña a partir de la Biblia como escuchar, probar, creer y obedecer. El osad amente nos reta a vivir la Biblia por el Espíritu. El leer *Escuchando a Dios* cambiará la forma en que usted piensa de Dios y como usted vive para Él."

Dave Metsker
Pastor Principal – Crescent City Foursquare
Crescent City, CA

--------------------------------------------

"*Escuchando a Dios* de Ben Dixon es espectacular. ¿Cómo lo sé? El ha ministrado entre nosotros durante muchos años hasta ahora. Tengo el privilegio de servir con el Pastor Ben como pastor en nuestra iglesia local, y puedo hablar de las incontables vidas (en verdad, ya perdí la cuenta hace mucho tiempo) que han sido cambiadas debido a la gracia de Dios a través de Ben. Ben es claro y práctico, tomando el alto concepto que Dios nos habla a cada uno de nosotros y haciendo lo que Jesús hizo: lo básico y elemental. El enseña una vida de dependencia a Dios a través de la oración. En esta dependencia a Dios, descubrimos las profundidades de nuestra relación con Él y la utilidad para su Reino. No tengo palabras para recomendar suficientemente el libro *Escuchando a Dios* de Ben. Todos necesitamos ser disciplinados por esta verdad."

Chris Manginelli
Pastor Principal – Iglesia Mill Creek Foursquare
Lynnwood, WA

--------------------------------------------------

"En muchas oportunidades ciertos creyentes me han hecho referencia de que les es muy difícil "escuchar" a Dios. A menudo he pensado, 'No sería estupendo poderles dar un libro de consulta sobre este tema?' Mi amigo, Ben Dixon, ha escrito este libro—*Escuchando a Dios*. Esta bien redactada guía está basada en la Biblia y contiene múltiples ejemplos de la vida de Ben como una persona acostumbrada a escuchar a Dios con regularidad. Es una bonita combinación de teología y experiencia. No sólo le recomiendo este libro, sino también a su autor. Ben es un hombre maduro, de integridad, autodisciplinado y tiene un corazón benevolente, deseoso de guiar a otros a las aguas más profundas del Espíritu. Ben hace del escuchar a Dios algo accesible a cada creyente, y no sólo algo reservado para profetas en el estante superior de lo altamente profético".

Thomas. P. Doodley, PhD
Autor y Fundador de Path Clearer Inc.
Birmingham, AL
www.pathclearer.com

--------------------------------------------------

"El poder de este libro no se halla sencillamente en su mensaje, sino en la verdad del mismo puesto en acción en la vida y el ministerio de Ben. Todo lo que él enseña, lo practica. No se trata sólo de un mensaje de grandes ideas sino una poderosa invitación de una vida con Jesús, el cual es real y está centrado en las escrituras. Todos nosotros podemos escuchar la voz de Dios, algunas veces sólo necesitamos ayuda para discernir como descubrir esta relación real con Dios. Este libro es esa ayuda."

Phil Manginelli
Pastor Principal
The Square Smyrna, GA

-------------------------------------------

"En cada generación, el Señor levanta un remanente cuyo corazón está en transformar una generación. El corazón para escuchar la voz de Dios y la aplicación práctica del don profético describe quién es Ben y lo que él hace. Usted encontrará que la forma de escribir de Ben es inspiradora y transformadora."

Nick Gough, MTS, DMin
Pastor Principal – Centro de Fen de
Great Falls, MT

-------------------------------------------

"La dinámica del Reino—y todas las buenas explicaciones de los caminos de Dios— son sencillas. La oración de David ('Dios, hazme conocer tus caminos...') hace eco en cada corazón que desea hacer la voluntad de Dios. Ben Dixon nos recuerda que ministrar a otros en el poder del Espíritu es una GRAN parte de hacer la voluntad de Dios.

Como una guía para el ministerio, *Escuchando a Dios* es conversacional, práctica y factible. Usted se encontrará diciéndose, "No puede ser así de simple." ¡Pero lo es!

Si solo tuviéramos más autores como Ben enseñando a la iglesia acerca de los dones espirituales y el verdadero, ministerio espiritual."

Daniel A Brown, PhD

---

Autor de *"Abrazando la Gracia"* y *"El otro lado del Ministerio Pastoral"*
*"Escuchando a Dios* es más que un libro para escuchar la voz de Dios. Es una herramienta del discipulado que yo intento emplear. Ben posee una rara combinación de sensibilidad espiritual y un razonamiento claro y sistemático. Este libro puede llevar a un discípulo sincero a través de la evidencia escritural y la aplicación práctica a escuchar a Dios como un seguidor de Jesucristo en un ruidoso mundo lleno de voces."

Rev. Crystal Guderian
Pastor Principal de la Iglesia Alderwood Manor Foursquare
Consejero de la Universidad Life Pacific

---

*"Escuchando a Dios* es una excelente lectura. Ben Dixon nos da grandes ejemplos prácticos y bíblicos de cómo escuchar la voz de Dios. Dios es sobrenatural y muy práctico. Hay una gran combinación de ambos en este libro. Este es una gran herramienta de entrenamiento para aquellos que quieren crecer en escuchar la voz de Dios y crecer en su relación con Dios. Yo recomiendo altamente a Ben y este libro. He tenido el privilegio de conocer a Ben y ver su fructífero ministerio en acción. Alisten sus oídos para escuchar a Dios."

Dr. Dan C. Hammer
Pastor Principal – Centro Cristiano Sonrise
Everett, Washington

---

"He conocido a Ben por muchos años. Él investiga cuidadosamente las escrituras, extrayendo vida en cada hallazgo. La pasión de Ben es ir más allá del conocimiento mental y aplicar la escritura al corazón. Con esto, él hace lo que los entrenadores hacen mejor: ¡imparte, entrena y equipa a otros para ir y hacer lo mismo!

*Escuchando a Dios* es un gran libro de ayuda para que los seguidores de Cristo escuchen la voz de Dios en medio de una cultura llena de sobrecarga sensorial. Yo recomiendo enfáticamente este libro para afinar nuestros oídos espirituales."

Bob Hasty
CoPastor – Rock of Roseville
www.rockofroseville.com

---------------------------------------------

"Yo he tenido el privilegio de experimentar la obra de Dios de Ben directa e indirectamente a través de los líderes que él ha desarrollado a su alrededor. Un gran número de cosas me impresionan del sorprendente ministerio que Dios le ha dado a Ben. Primero, todo está basado en un Jesús real y viviente y en la Palabra escrita que Él nos ha dejado. Todo esto claramente se manifiesta en este libro. Usted encontrará a un hombre que conoce a Jesús y su Palabra. Segundo, todo es presentado de manera clara, normal y cotidiana. No es que Ben no pueda equipararse a los círculos escolásticos, sino que tiene una manera de hacer que escuchar a Dios sea extremadamente accesible a todo seguidor de Jesús. Por último, Ben cree en la novia de Jesús, que es la iglesia. El instruye a individuos que claman por la voz de Dios, y caminan con responsabilidad. Ben reproduce líderes servidores que quieren bendecir su iglesia, en nombre de su Gloria y su Reino. Agradezco a Dios por el don que Ben nos ha dado aquí — ¡alístense para ser bendecidos!"

Yucan Chiu, DMin
Pastor Principal – Iglesia Comunidad Ethnos
www.ethnos.us

---

"Sea que usted haya caminado con el Señor por largo tiempo, o que sea un nuevo creyente, *Escuchando a Dios* es más que un lugar para empezar a profundizar su relación con el Señor y practicar el escuchar su voz. Es un buen lugar para continuar ese viaje y crecer con sabiduría sólida y una percepción ganada a través de años de travesía del Pastor Ben conociendo a Dios. Yo creo que usted disfrutará este libro y sus historias, pero sobretodo creo que disfrutará conocer más a Dios a través de su tiempo invertido en *Escuchando a Dios*."

Erik Mildes, MA
Consejero Profesional Cristiano
Co-Fundador de Consejería Cristiana de Seattle

---

"Ben Dixon nos da una explicación muy necesaria a la pregunta más común, '¿Cómo escucho a Dios?' Como cristianos, a menudo usamos expresiones como 'Dios dijo,' o 'Yo escuché del Señor.' Ben no sólo proporciona recursos bíblicos sobre este tema, sino que también nos da un vistazo a su vida personal donde escucha a Dios. Los lectores son llevados en un viaje lógico que para muchos, es un destino misterioso…¡escuchar a Dios!

Pastora Fundadora Marion Ingegneri
– Grace Church North
National Field Directora de Mujeres en el Liderazgo Ministerial,
Iglesia Foursquare, Phoenix, Arizona

---

"Lejos de lo que muchos autores han tratado de escribir porque no lo entienden debido a la falta de experiencia. Pero no es este el caso aquí. Este autor sí tiene experiencia. Es el mejor que he visto sobre este tema. Es claro, práctico y fundamentado bíblicamente. Siga los pasos prácticos escritos en este libro y escuchará a Dios por usted mismo"

Herb Marks
Director del Ministerio – Sought Out Global
www.soughtoutglobal.com

------------------------------------------

"Ben ha hecho un gran trabajo con este libro. No solo apoyo el mensaje que Ben enseña sino también apoyo al mensajero. He dado testimonio de la efectividad de Ben al entrenar muchos creyentes de mi iglesia natal en escuchar la voz de Dios y profetizar. La vida de Ben y su ministerio profético se caracterizan por la exactitud, la claridad bíblica, la pasión y la integridad. Estoy emocionado al ver que sus años de fiel entrenamiento han sido resumidos *Escuchando a Dios*. En este libro obtendrá una clara enseñanza bíblica, historias llenas de poder, y una instrucción práctica que le dará confianza para escuchar con regularidad la voz de Dios."

John Hammer
Autor y Pastor Principal Asociado – Centro Cristiano Sonrise
isonrise.org or thefreedomletters.com (blog)

------------------------------------------

"*Escuchando a Dios* es uno de los libros más comprensivos, bíblicos, prácticos y fáciles con los que me he podido topar acerca de escuchar y obedecer a Dios. ¡No solo recomiendo este libro por su enriquecimiento espiritual, sino que también lo recomiendo como una herramienta de discipulado para todo discípulo de Jesús!"

DJ Vick
Pastor Principal – Iglesia Eastside Foursquare
Bothell, WA

# INDICE

Prefacio      xv

Introducción      xvii


Parte I: El Fundamento para escuchar de Dios      1

Capítulo 1 — Una Relación Real      3

Capítulo 2 — Escuchar a Dios es para Todos      25

Capítulo 3 — Escuchar a Dios y la Biblia      43


Parte II: La Voz de Dios: Entendiendo lo que es y lo que no es      57

Capítulo 4 — Entendiendo como Dios habla      59

Capítulo 5 — Entendiendo por qué Dios habla      83

Capítulo 6 — Obstáculos para escuchar a Dios      99


Parte III: La Voz de Dios: Discerniendo, Respondiendo y Buscando      119

Capítulo 7 — Discerniendo la Voz de Dios      121

Capítulo 8 — Respondiendo a la Voz de Dios      141

Capítulo 9 — Buscando la Voz de Dios      157


Notas Finales      175

Sobre el Autor      177

Acerca del Ministerio      179

# PREFACIO

En una cultura postmoderna, donde la verdad es relativa, ¿Cuál es el mejor medio para entregar el mensaje del evangelio a una generación impía? ¿Cuál es el rol del Espíritu Santo en el Cristianismo moderno y cómo es que el Espíritu Santo transmite el mensaje que Jesús vino a comunicar? En América y Europa Occidental, el cristianismo está en decadencia mientras que está ganando influencia en Asia, África, y Sudamérica, conocido también como los Dos Tercios del Mundo.[1] Mientras que la Iglesia Occidental trata de hacer sobrevivir su influencia en la cultura, las iglesias de los Dos Tercios del Mundo están prosperando. A diferencia de la Iglesia Occidental, su paradigma ministerial tenía su base en lo Carismático (por ejemplo: sanidades, exorcismos, profecías y milagros).[2]

En los Estados Unidos, George Barna afirma que, este año, habrá menos de 2% de congregaciones que escucharán un mensaje del Espíritu Santo.[3]

Los teólogos asiáticos y africanos se han quejado de que el alcance americano a la iglesia es irrelevante para las culturas asiáticas y africanas.[4]

¿Es posible que podamos escuchar a Dios? Es la creencia de este autor que, en una cultura postmoderna, lo apologético es lo profético, como lo demuestra Jesús, en Juan capítulo cuatro, con la mujer samaritana, mujer de una reputación cuestionable.

Hoy día, para ser relevante, necesitamos una generación que oiga la voz de Dios y que lo conozca personalmente. Jon Ruthven, en su libro, *Qué está mal con la Teología Protestante*, dice esto acerca del mensaje de Jesús y los líderes religiosos de su tiempo:

> El conflicto entre el mensaje de Jesús y la doctrina de los líderes religiosos de su tiempo (y de nuestro tiempo) se enfoca en el tema central de cómo (o si) uno puede escuchar a Dios.… Puesto de otra manera, la diferencia entre el mensaje de la Biblia y el mensaje de la religión tradicional (humana) es el énfasis de dos clases de conocimiento: el "conocimiento" bíblico, que es, *la experiencia con Dios*, versus la mera *información acerca de él*.[5]

Ben Dixon es un líder confiable cuyas enseñanzas ofrecen una aplicación práctica de cómo todos nosotros podemos oír la voz a Dios. El aborda el tema en un contexto relacional que llevará al lector a un entendimiento y conocimiento más profundo de Jesús. La humildad y pasión de Ben son evidentes a todos los que lo conocen. Sus ansias de tener mayor intimidad con Jesús lo llevará a una sed por escuchar a Dios a usted mismo.

Nick Gough, MTS, DMin
Pastor Principal – Centro de Fe,
Great Falls, MT

# INTRODUCCIÓN

Para aquellos que me conocen, su respuesta al ver este libro probablemente es: "ya era hora." Y estoy de acuerdo. Ya era hora de tener este material publicado. Aunque esta es la primera publicación especializada de mis escritos de "Escuchando a Dios" yo he estado repartiendo notas de este tema durante un tiempo. Cuando empecé a enseñar este material, no tenía idea que escribiría un libro; esto simplemente ocurrió con el transcurrir del tiempo. Lo que yo perseguía en este proceso, desde el inicio, era simplemente ver a las personas conectarse con Dios de una manera más profunda. Cuanto más estudiaba la Biblia y enseñaba acerca de oír a Dios, comprendí que este era un tema más amplio de lo que pensé al principio.

Este libro es más que solo palabras sobre una página. Representa docenas de clases, cientos de estudiantes, revisiones incontables, y más conversaciones nocturnas de las que puedo recordar. Después de haber enseñado sobre el tema de escuchar la voz de Dios por un buen tiempo hasta ahora, puedo decir honestamente que ha provocado el discipulado más efectivo del que he sido testigo. Este discipulado no solo ha surgido de los principios de este libro, sino también del deseo de querer que la gente conozca a Dios, hable con Dios, escuche a Dios, y finalmente le respondí con fe y confianza.

Yo escribí este libro para ayudar a que la gente vea a Dios como realmente es. Muchos de nosotros hemos dado nuestras vidas a Jesucristo, solo para instalarnos en un estilo de vida religioso, en lugar de una relación de amor. ¿Qué tan real es nuestra relación con Dios? ¿Es lo suficientemente real para esperar que Él nos hable?

De ser así, ¿cómo sería eso? ¿Cómo puedo saber cuándo o si Dios realmente me está hablando? ¿Sugiere la Biblia esta clase de relación para aquellos que creen y siguen a Jesús? Y si yo no escucho a Dios, ¿el problema es conmigo o con Dios?

¿Ha respondido usted algunas de estas preguntas? Le aseguro que yo sí. Preguntas como estas han provocado que estudie la Biblia y busque el rostro de Dios para proporcionar respuestas reales que guíen a una relación más profunda y vivificante con Dios. Con gran ahínco y convicción les presento mis conclusiones, y oro que, en la medida que usted lea *Esuchando a Dios*, sea inspirado a adentrarse en las profundas aguas de una relación, donde el misterio de la voz de Dios en su vida se devele más que nunca antes.

Ben Dixon

# PARTE I

## EL FUNDAMENTO PARA ESCUCHAR A DIOS

# CAPÍTULO 1
# UNA RELACIÓN REAL

Desde su núcleo, el cristianismo se basa completamente en una relación. La mayoría de nosotros hemos escuchado personas describiéndolo de esta forma: "Ser cristiano no es cuestión de religión, sino de relación." Aunque esto es muy cierto, no describe cómo debe ser una relación con Dios. Yo me convertí en cristiano cuando tenía 19 años. A esa edad, escuchaba a menudo a pastores y otros cristianos decir, "Puedes tener una relación *personal* con Dios a través de Jesucristo. Él quiere que lo conozcas de una manera real." Honestamente, esa invitación sonaba increíble, y aún lo es. Sin embargo, cuando empecé mi caminar con Jesús, no entendía plenamente lo que era una relación saludable con una persona, sin contar cómo funcionaría eso con Dios. Cuanto más oía la invitación para una "relación personal" con Jesús, más lejos me sentía de Dios. Sino más bien, piense en ello por un segundo. Tengo muchas relaciones—a muchos de ellos inclusive los llamo amigos—¿Pero cuántas de las relaciones que tengo son personales? ¿Cuántas personas realmente me conocen, y cuántas personas realmente conozco yo a un nivel personal profundo? ¿Qué de usted? ¿Usted entro a una relación con Jesús sabiendo exactamente qué hacer y qué esperar? ¡Por supuesto que no! Yo soy como usted. Yo de verdad, de verdad deseo una profunda, significativa, y *personal* relación con

Dios, y creo que no solamente está disponible sino lo más importante, que Dios lo quiere, inclusive mucho más que nosotros.

Mi convicción es que escuchar la voz de Dios se trata de conocer a Dios—es tener una relación personal con Él. Es mi experiencia que toda relación saludable incluye una comunicación saludable, ¡entonces por qué sería diferente en una relación con Dios ? Yo he leído numerosos libros sobre el tema de escuchar a Dios, y para ser honesto, me ha decepcionado en que solo pocas veces se enfocan en la relación con él. Escuchar su voz es, y siempre será el privilegio de tener una relación. Mucho cristianismo cae en un

**Si usted realmente quiere escuchar a Dios en su vida, entonces su enfoque debe ser conocerlo a él, no solo conocer acerca de él.**

túnel de teología e intelectualismo donde la experiencia no es vista con buenos ojos y donde se exalta el conocimiento.

El tener el conocimiento correcto es muy importante, pero conocer a Dios es nuestra meta, y escuchar que nos hable, por cualquier razón que sea, es el resultado de una relación creciente con él. De la misma manera, los diferentes aspectos de escuchar a Dios que he compartido en este libro se basan en mi relación personal con él, durante el trayecto de mi vida.

### Creados para una Relación

Toda persona sobre el planeta de alguna manera desea saber la misma cosa: "¿Por qué existo? Es evidente que vivimos en un tiempo en que hay diversas opiniones relacionadas al origen e inicios de la humanidad, pero para aquellos que creemos en el creacionismo, la pregunta más adecuada sería, "¿Por qué fueron creados los humanos?" La Biblia responde esta pregunta con claridad, y nos guía a la conclusión que revolucionará nuestro entendimiento y nos rescatará de una existencia sin propósito. Recordemos la historia de la creación en el libro de Génesis por un momento. En Génesis capítulo 1, la Biblia inicia con Dios creándolo todo: los cielos, la tierra, el sol, la luna, las estrellas, la vegetación, los animales y por último, pero lo más importante, los humanos.

> Entonces dijo Dios: Hagamos al hombre a nuestra imagen, conforme a nuestra semejanza; y señoree en los peces del mar, en las aves de los cielos, en las bestias, en toda la tierra, y en todo animal que se arrastra sobre la tierra. Y creó Dios al hombre a su imagen, a imagen de Dios lo creó; varón y hembra los creó. Y los bendijo Dios, y les dijo: Fructificad y multiplicaos; llenad la tierra, y sojuzgadla, y señoread en los peces del mar, en las aves de los cielos, y en todas las bestias que se mueven sobre la tierra. Y dijo Dios: He aquí que os he dado toda planta que da semilla, que está sobre toda la tierra, y todo árbol en que hay fruto y que da semilla; os serán para comer. Y a toda bestia de la tierra, y a todas las aves de los cielos, y a todo lo que se arrastra sobre la tierra, en que hay vida, toda planta verde les será para comer. Y fue así. (Gen. 1:26-30)

En esta breve reseña de la historia humana, la primera y más importante parte del propósito de ser creados era el ser como Dios (Gen. 1:26). Esto no debe ser algo tomado a la ligera o ignorado sin una seria consideración. Dios creó muchas cosas asombrosas, maravillosas y hermosas, pero nada fue hecho para llevar su propia imagen como lo somos nosotros. Solo piense en las implicaciones de esto por un momento. De todas las cosas que nos maravillan de la creación—el sol, las estrellas, la tierra, las montañas—usted es más grande y más valiosa que todas ellas combinadas. ¿Por qué? Porque usted, a diferencia de todo lo demás, fue creado para ser como Dios y reflejar su misma naturaleza. En otras palabras, usted y yo somos extremadamente especiales para Dios, su más preciada posesión entre todo lo que Él ha creado.

Fuimos creados para ser como Dios, específicamente para tener una relación con Él. Aunque toda la creación *debe* rendirse ante la voz de

Dios, se nos ha otorgado un mayor privilegio para entender, responder, e interactuar con Él.

Toda la creación de Dios sirve a un propósito, pero nadie más es capaz de caminar con Dios y compartir su vida con Él como lo somos los seres creados. Cuando consideramos nuestra creación, es importante entender que no fuimos creados con conocimiento previo de nada, sino que se nos dio la capacidad de aprender. La manera en que fuimos hechos para aprender, era sosteniendo una relación con Dios. En el principio, Dios caminaba con Adán y Eva, explicándoles cosas a ellos, incluso dándoles ciertas responsabilidades que Él observaría y de las cuales hablaría. Era algo hermoso. En un momento Dios invitó a Adán a ponerle nombres a los animales, e incluso quería ver cómo los nombraría.

> Jehová Dios formó, pues, de la tierra toda bestia del campo, y toda ave de los cielos, y las trajo a Adán para que viese cómo las había de llamar; y todo lo que Adán llamó a los animales vivientes, ese es su nombre. (Gen. 2:19)

¡Qué imagen tan profunda! Me recuerda a mí y mi familia, y más específicamente, la relación de un padre y sus hijos. Yo tengo cuatro hijos y al transcurrir de los años hemos podido trabajar en muchos proyectos juntos. Justo hace poco tiempo pude hacer algunos carros de derby hechos de madera de pino para mis hijos más pequeños. Yo tallé el carro de un bloque de madera y lo lijé hasta dejarlo todo suave, luego le pedí a mis hijos que escogieran el color de la pintura y las pegatinas que colocaríamos en el carro, algo que ellos estaban deseosos de hacer. La verdad es que, yo hice el carro, pero en la fase final, invité a mis hijos a contribuir con el producto final. Estaban tan entusiasmados de ser parte de esto, pero para ser honesto, yo estaba más entusiasmado que ellos en poder hacer esto juntos. Yo pude haber hecho todo sin ellos, pero quería ver qué color de pintura escogerían y cuál de sus pegatinas extravagantes le pondrían al carro. Esto ejemplifica lo que es una relación, y esto es lo que nosotros vemos entre Dios y Adán en el principio de la historia de la creación: "y trajo [a los animales] (al hombre para ver cómo les habría de llamar" (Gen. 2:19). Dios nos creó para una relación *real*, lo cual implica completamente escuchar su voz. Sin entender esta verdad, nos estará faltando algo en nuestra experiencia con Él—siempre.

## Una Relación Dañada

Aunque fuimos hechos para una relación con Dios, la historia de Adán y Eva también nos revela los serios problemas que existen en todos nosotros. Dios bendijo a Adán y lo puso en el Jardín del Edén para administrar y cultivar las otras cosas que Él había creado.

> "Tomó, pues, Jehová Dios al hombre, y lo puso en el huerto de Edén, para que lo labrara y lo guardase. Y mandó Jehová Dios al hombre, diciendo: De todo árbol del huerto podrás comer; más del árbol de la ciencia del bien y del mal no comerás; porque el día que de él comieres, ciertamente morirás." (Gen. 2:15-17)

Dios les dijo que podían comer de todo árbol en el jardín, excepto de uno, al cual se refiere como el "árbol del conocimiento del bien y del mal" (Gen 2:17). Como Dios dio una orden de mantenerse alejados de este fruto prohibido Él también presentó una alternativa para Adán y Eva. Es difícil saber cómo esta orden les afectó mientras caminaban cerca al árbol prohibido cada día, sabiendo que no podían comer su fruto, y queriendo saber por qué estaba aún en el jardín. Sin embargo, todo lo que Adán y Eva sabían por cierto era lo que Dios dijo; lo que era su realidad y fuera de ello no tenían conocimiento ni de ellos mismos. A mi parecer, el saber esto de Adán y Eva hace el nombre de este árbol aún más interesante. El árbol fue llamado "el conocimiento del bien y del mal" (Gen 2:17). ¿Es esto cierto? ¿Puede ver lo que yo veo? Si todo lo que ellos sabían era lo que Dios les dijo, este árbol no solo presentó una alternativa para ellos, sino también presentó un nuevo camino para obtener conocimiento sin tener que escuchar a Dios. Este es el punto donde empezó la opción "a la manera de Dios" o "a mi manera".

La introducción del árbol es un concepto difícil en sí mismo, pero en Génesis capítulo 3 se nos presenta otro problema: la serpiente. Primero tenemos a Dios, Adán y Eva, y ahora tenemos un nuevo personaje que juega un papel importante en nuestra historia. Sabemos, por otros pasajes en la Biblia, que la serpiente no es otra que el diablo, antes un ángel y parte del ejército del cielo, pero que por causa de su orgullo fue echado fuera. (Apoc.12:9). El diablo odia a Dios, su creación, y todo lo que Dios llama bueno. Sin embargo, él no tiene autoridad para hacer como a él le place, y lo leemos así en el modo engañoso y falaz que usó con Adán y Eva.

> Pero la serpiente era astuta, más que todos los animales del campo que Jehová Dios había hecho; la cual dijo a la mujer: ¿Con lo que Dios os ha dicho: No comáis de todo árbol del huerto? Y la mujer respondió a la serpiente: Del fruto de los árboles del huerto podemos comer; pero del fruto del árbol que está en medio del huerto dijo Dios: No comeréis de él, ni le tocaréis, para que no muráis. Entonces la serpiente dijo a la mujer: No moriréis; sino que sabe Dios que el día que comáis de él, serán abiertos vuestros ojos, y seréis como Dios, sabiendo el bien y el mal. Y vio la mujer que el árbol era bueno para comer, y que era agradable a los ojos, y árbol codiciable para alcanzar la sabiduría; y tomó de su fruto, y comió; y dio también a su marido, el cual comió así como ella. Entonces fueron abiertos los ojos de ambos, y conocieron que estaban desnudos; entonces cosieron hojas de higuera, y se hicieron delantales (Gen. 3:1-7).

De alguna manera el diablo estaba consciente de la orden de Dios de mantenerse alejado de este árbol, y como enemigo de Dios buscó engañar a Adán y Eva. Lo primero que el diablo hizo fue cuestionar lo que Dios les había dicho, al contradecir la misma voz de Dios "¿Así que Dios ha dicho?" Aunque Eva repitió las palabras de Dios al diablo, él no se detuvo con su tentación, sino que presionó aún más. El diablo trató de convencer a Eva, y en última instancia a Adán, que si ellos comían del fruto nada pasaría, sino que en realidad ellos "serían como

Dios" en que "conocerían" el bien y el mal. Lo que el diablo no dijo, y Adán y Eva no recordaron, era que ellos ya habían sido creados como Dios. Por ello, la tentación consistía en convertirse "como Dios" sin tener una relación con Dios.

El Señor seguramente quería que Adán y Eva fueran como él, pero no automáticamente, no independientemente de su voz y su enseñanza a través de la relación diaria.

Al final, sabemos que Adán y Eva escucharon la voz del diablo, y comieron del árbol del conocimiento del bien y del mal. Esta decisión trajo serias consecuencias que han afectado cada generación desde entonces. Dios les dijo que si ellos comían del árbol "morirían" (Gen 2:17). Ahora sabemos cómo continúa la historia, que ellos no murieron físicamente allí y en ese momento, así que ¿qué es lo que Dios quiso decir con que morirían? Él quiso decir que morirían espiritualmente y que, con eso, su relación con él sería dañada y tendrían necesidad de una restauración muy seria. A este momento se le conoce como "La caída" y realmente lo fue, porque en verdad caímos de algo hermoso: una cercana relación con Dios. Es aquí donde las cosas se complicaron para la humanidad. Toda persona nacida después de Adán y Eva entra en una crisis de identidad, en la cual anhela una relación con Dios, quiere escucharlo y seguir su voz, pero somos detenidos por nuestro amor propio y por seguir nuestro propio camino, arraigado en escuchar la voz del diablo. Pero Dios no descansó en dejarnos ir en nuestro propio camino sin poner en marcha un plan que pudiera restaurar esa relación dañada.

Muchas cosas acontecieron desde el tiempo de Adán y Eva hasta el momento en que Jesús pisó este mundo. Aunque Dios sabía cuán dañada estaba nuestra relación con Él, eso no significa que nosotros necesariamente lo sabíamos. Con el tiempo, el Señor escogió revelar sus caminos al otorgarnos la ley, la cual, por supuesto vino a través de Moisés. En la ley de Dios, tanto los Diez Mandamientos y las muchas otras reglas encontradas en el Tora, Dios nos comunicó qué teníamos que hacer y cómo debíamos hacerlo. Las personas de ese tiempo eran incapaces de cumplir completamente estas leyes así que Dios introdujo sistemas adicionales a través de los cuales ellos podían acercarse a Él y mantener cierto nivel de relación. Estos sistemas eran el templo (el lugar de la presencia de Dios), los sacerdotes (los ministros que mediaban entre Dios y el hombre), y los sacrificios (la forma en que los humanos podían expiar sus pecados y estar a cuentas con Dios nuevamente). Si una persona pecaba podía traer un animal al templo y el sacerdote sacrificaría un animal para expiar los pecados de esa persona y su familia. En el Antiguo Testamento, esta era la forma en que uno vivía ante Dios y esta era la clase de relación disponible a las personas. Esto no se parece al diseño para el cual fuimos hechos, ni tampoco lucía en absoluto como una relación. Esto no era lo que Dios quería con nosotros: una ley, un sistema, una distancia.

Aunque la Ley era algo diferente a la real relación para la que fuimos creados para tener con Dios, ésta jugó un rol muy importante en nuestra historia. El Apóstol Pablo explica en su carta a los Gálatas la razón por la que la ley fue dada.

> Entonces, ¿para qué sirve la ley? Fue añadida *a causa de las transgresiones, hasta que viniese la simiente* a quien fue hecha la promesa; y fue ordenada por medio de ángeles en mano de un mediador. (Gal. 3:19)

En esta carta Pablo explica que la Ley fue destinada a revelar que no podíamos producir justicia, y al mismo tiempo que no podíamos refrenar la injusticia en nuestras decisiones y estilo de vida. Este dilema fue el resultado de comer del árbol del conocimiento del bien y del mal. Desde nuestro actual punto de vista de la historia, podemos ver claramente las consecuencias trascendentales de escuchar al diablo y a nosotros mismos en lugar de a Dios. La Ley fue dada para revelar lo que el pecado había hecho en nuestras vidas y cuán ciertamente necesitábamos un Salvador, para traernos a una real relación con Dios. Para ese fin, Jesús vino. "Porque el Hijo del Hombre vino a buscar y a salvar lo que se había perdido" (Luc. 19:10).

Jesús dijo que él "había venido a buscar y salvar lo que se había perdido" al final de una conversación con un hombre pecador que había sido despreciado por toda su comunidad. Una vez más preguntamos, ¿Qué se había perdido? Obviamente sabemos que nosotros nos habíamos perdido, pero creo que esto se puede extender un poco para hablar directamente de lo que perdimos. Nosotros perdimos nuestra relación con Dios. Nosotros perdimos nuestra conexión a su voz, en tiempo real, y en sus caminos reales.

La palabra "perdido" puede significar en este pasaje "destruir" o inclusive "dañar". Cuando escogimos escuchar otra voz, nuestra relación con Dios se dañó, pero Jesús vino con el remedio para arreglar todas las cosas. "Pero ahora en Cristo Jesús, vosotros que en otro tiempo estabais lejos, habéis sido hechos cercanos por la sangre de Cristo" (Efes. 2:13).

En el Antiguo Testamento, la gente traía sacrificios a Dios para que sus pecados sean perdonados y la comunión con Dios era restaurada. Esa restauración era siempre temporal. En el Nuevo Testamento, Dios el Padre envió a su Hijo Jesús para ser el perfecto sacrificio una vez y para siempre, de manera que nuestra relación con él sería permanentemente restaurada. ¡Todo lo que necesitamos hacer es creer! ¿Creer qué? ¡Creer lo que Jesús hizo es suficiente! Su muerte, sepultura y resurrección es lo único que nos acerca a Dios, nada más. El único camino al Padre es a través de Su Hijo, y el único camino a Jesús es creer lo que él hizo por ti. Esto es todo lo que debemos traer a cuentas para que nuestra relación con él sea restaurada. Estábamos alejados en nuestros pecados, pero en Jesucristo somos traídos lo suficientemente cerca para conocer a Dios, y lo suficientemente cerca para escucharlo nuevamente. Al escoger el pecado dañamos la relación que fuimos llamados a tener, pero al Jesús escoger darnos su vida, somos restaurados a este tierno cuidado nuevamente.

Dios nos ama tanto que no escatimó ninguna cosa para devolvernos la clase de relación para la que Él nos creó. La muerte, sepultura y resurrección es el modo en que Dios nos dice eternamente "*Te amo.*" Si alguna vez quieres saber si Dios te ama o no, solo necesitas recordar la cruz y la sangre que fue derramada por ti. Él hizo por nosotros lo que nosotros nunca hubiéramos podido hacer por nosotros mismos, porque Él nos anhela más de lo que nosotros lo anhelamos a Él. Este es Dios.

Esto es amor. Jesús compartió su corazón con sus discípulos de manera que muestra la clase de relación de la que hemos venido hablando.

> De cierto, de cierto os digo: Él que no entra por la puerta en el redil de las ovejas, sino que sube por otra parte, ése es ladrón y salteador. Más el que entra por la puerta, el pastor de las ovejas es. A éste abre el portero, y las ovejas oyen su voz; y a sus ovejas llama por nombre, y las saca. Y cuando ha sacado fuera todas las propias, va delante de ellas; y las ovejas le siguen, porque conocen su voz. Más al extraño no seguirán, sino huirán de Él, porque no conocen la voz de los extraños (Juan 10:1-5).

## El diablo sabe nuestros nombres y nos llama por nuestro pecado, pero el Señor conoce nuestro pecado y nos llama por nuestros nombres.

Este sermón surgió de su confrontación con líderes judíos, cuando expulsaron a un mendigo que Jesús sanó (Juan 9). Jesús empieza a hablar de quién es Él y cómo es realmente Dios, en contrastez al ejemplo de los líderes religiosos que robaron a la gente la visión correcta de Dios. Jesús se refirió así mismo como el Pastor y sus seguidores como las ovejas. Él dijo, ¡"Él (Jesús) las llama por su nombre!" (Juan 10:3).

Piense esto por un momento. Nuestro nombre es la cosa más personal que tenemos y que define quienes somos y más aún quién es nuestra familia. Jesús no solo nos conoce por nombre sino que nos llama con el propósito singular de que lo podamos seguir a donde quiera que él va.

¿A quién realmente quieres oír? No fuimos hechos para seguir la voz del extraño, la voz del diablo, o nuestra propia voz, sino que toda persona fue hecha para escuchar y seguir la voz de su Pastor. Mis amigos, él está llamando *tu* nombre. "Mis ovejas oyen mi voz, y yo las conozco y me siguen" (Juan 10:27).

En el momento que le damos nuestra vidas a Jesús, él abre nuestros oídos para escuchar, y aún algo más importante, seguirlo otra vez y así convertirnos en lo que originalmente nos llamó a través de nuestra relación con él.

## Tu Padre

Cuando miramos la vida de Jesús, es extremadamente importante saber que Él no solo vino para ser nuestro Salvador, sino Él vino también para ser nuestro modelo. Jesús ejemplificó una vida con Dios que en todos los aspectos es el modelo de lo que nuestras vidas pueden y deben ser. Aunque Jesús era la persona

**Aquellos que confían en Jesús son adoptados en la familia de Dios y son llamados para siempre a experimentar su amor como Padre.**

más ocupada del planeta, Él siempre priorizó su relación con Dios, lo que podemos ver de manera clara en sus frecuentes viajes a las montañas para orar toda la noche. Los líderes religiosos de aquel entonces vivían por un sistema, mientras Jesús vivía por una relación. Eso no significa que el sistema por el que los líderes religiosos vivieron estuviera completamente equivocado en su esencia, sino que Jesús estaba revelando algo nuevo para nuestro beneficio, en la forma en la que Él vivió con Dios mientras estuvo aquí en la Tierra.

Cuando Jesús vino, se refirió a Dios como su padre. Este no era el tipo de relación que todos tenían con Dios en ese tiempo. Lo que molestó a los líderes religiosos era que Jesús hablara libremente de Dios de esta forma. Cuando leemos el evangelio relatado en la Biblia, encontramos que Jesús no solo se refiere a Dios como su padre, sino como *nuestro* Padre. Durante el Sermón del Monte, Jesús se refirió a Dios como *nuestro* Padre más de 15 veces. Jesús estaba hablando proféticamente acerca de la naturaleza que estaba a punto de establecer entre Dios y el hombre, a través de su sacrificio. Es increíble saber que Dios quiere tener una relación con nosotros, sin embargo la clase de relación que él nos ofrece me sorprende. ¡Dios quiere ser *nuestro* Padre! Mire estas referencias considerándolas como una invitación radical.

> Ni se enciende una luz y se pone debajo de un almud, sino sobre el candelero, y alumbra a todos los que están en casa. Así alumbre vuestra luz delante de los hombres, para que vean vuestras buenas obras, y glorifiquen a *vuestro Padre* que está en los cielos (Mat.5:15-16).

> Pero yo os digo: Amad a vuestros enemigos, bendecid a los que os maldicen, haced bien a los que os aborrecen, y orad por los que os ultrajan y os persiguen; para que seáis hijos de vuestro Padre que está en los cielos, que hace salir su sol sobre malos y buenos, y que hace llover sobre justos e injustos (Mat. 5:44-45).

> Sed, pues, vosotros perfectos, como vuestro Padre que está en los cielos es perfecto (Mat. 5:48).

> Y les dijo: "Cuando oréis, decid: *Padre nuestro* que estás en los cielos, santificado sea tu nombre. Venga tu reino. Hágase tu voluntad, como en el cielo, así también en la tierra." (Luc. 11:2)

Estas simplemente son unas pocas referencias en que Jesús proclama a aquellos que lo escuchan, "Dios quiere ser *tu* Padre!" Personalmente pienso que la mayoría de cristianos luchan por entender cómo se supone que debe ser su relación con Dios, y estas fueron emociones reales en mí también. Sin embargo, cuando vemos las palabras de Jesús,

Él aclara cómo se supone que debe ser nuestra relación con Él. Él no se detiene con una simple descripción; en lugar de ello, Jesús la vivió frente a nosotros para que podamos ver como operaba. Las buenas noticias de Jesús no es tanto de qué somos salvados, aunque sí es digno de ser tomado en cuenta, sino que realmente se trata de *para* que somos salvados, para una relación Padre- hijo (o hija) con el Dios Todopoderoso. ¡Si eso no te hace levantarte y gritar entonces temo que nada más lo hará!

Mientras continuamos viendo el tema de escuchar a Dios a través de los lentes de una relación, debemos saber que Dios siempre nos hablará como el Padre amoroso que es. Todo lo que pensamos que Dios nos está diciendo debe ser filtrado a través de cómo un Padre amoroso le hablaría a su hijo. Este punto fundamental pondrá el fundamento para escucharlo más claramente en nuestras vidas. Esto es algo que me tomó tiempo en aprender, pero que me ha ayudado más que ninguna otra cosa en lo referente a escuchar su voz. Observe lo que el Padre le dice a Jesús después de ser bautizado por Juan en el Río Jordán: "… y vino una voz del cielo que decía: 'Tú eres mi Hijo amado, en quien tengo complacencia (Luc. 3:22).

## Un padre amoroso te habla basado en una relación (quién eres tú), y no basado en tu desempeño (qué es lo que haces).

Hasta este punto Jesús no había sanado a nadie, él no estaba viajando predicando el Reino, tampoco estaba realizando milagros para la multitud. Simplemente estaba tomando su lugar como hijo y Dios estaba complacido con Él. Cuando estás en Cristo, también escucharemos a Dios afirmando nuestras identidades y proclamar su complacencia sobre nosotros, lo que siempre servirá de base para todo lo que Él nos dirá en algún momento

Yo crecí en un hogar cristiano con una madre y un padre que me amaban y cuidaban de mí. No vivíamos sin problemas, pero yo sabía que mi padre me amaba por lo que él decía y las cosas que él hacía. Mi relación con mi padre es ahora mejor que nunca y cuando hablamos, sin importar el tema, yo sé que las cosas que él dice están motivadas por su amor por mí. La relación que yo tengo con mi padre me ha ayudado a ver a Dios de la manera correcta; ahora yo estoy educando a mis hijos como me fue enseñado.

De la misma manera, Dios diseñó la familia para ser un modelo de lo que las relaciones en el cielo van a ser, y en última instancia para prepararnos para relacionarnos con él y unos con otros en una verdadera familia eterna. Muchos de nosotros no tenemos buenas experiencias de nuestras relaciones familiares, así que en un sentido se ha distorsionado por nuestros malos ejemplos. Este daño ha permanecido en nuestras almas hasta que el Señor sane nuestro dolor a través de una relación con Él.

Algunos de nosotros nunca hemos escuchado un "Te amo" o "estoy orgulloso de ti" en nuestra experiencia familiar. Muchos hemos sido presionados por una relación basada en nuestras acciones para nuestros padres, en las cuales las expectativas eran poco realistas. Estos ejemplos nos han dificultado el recibir el amor de Dios y el escuchar que nos hable como Padre, lo que ha provocado sufrimiento en nuestra relación con Él. Si eso es verdad para ti, hay buenas noticias. Dios puede y va a sanar tu dolor porque él es "un padre de huérfanos" (Salmos 68:5) y restaurador de corazones quebrantados. Cuando busques oír la voz de Dios, asegúrate de esto: antes de que Él quiera decirte lo que debes hacer o felicitarte por tu obediencia, Él quiere que sepas que en Cristo "tú eres (su) hijo amado y que (Él) está en ti complacido" (Luc. 3:22). Recuerda, la forma cómo ves a Dios es a menudo los lentes a través de los cuales nosotros oímos a Dios, o al menos interpretar lo que Él nos dice. Si pensamos en Dios como un dictador amargado entonces cuando leamos la Biblia o escuchemos una palabra del Espíritu Santo, tendremos la tendencia a escuchar algo como: "¡Es mejor que hagas esto *o sino!*" De ninguna manera esta es la forma cómo Dios se dirige a nosotros. Sin embargo cuando usted piensa en Dios de la manera que Jesús lo reveló, como un Padre amoroso, escuchará algo como: "Esto es lo mejor para ti, así que necesitas confiar en mi sobre esto". Una noche mi esposa y yo estábamos mirando un documental cristiano sobre la influencia de la música. El principal expositor a lo largo del documental enfatizó increíblemente algunos puntos sobre cuán poderosa es la música, y cómo la mayoría de cristianos no se dan cuenta de lo que están permitiendo en sus vidas, en un sentido espiritual, cuando escuchan música. Fui retado por la perspectiva del expositor y la gran cantidad de investigación que este equipo había recopilado para ayudar a los cristianos a honrar con todo el corazón al Señor en lo que ellos escuchan. El documental fue filmado en una iglesia grande, y a medida que terminaba, el expositor principal empezó a compartir con la gente que Dios le había hablado algunos días antes del evento. Él empezó a hablar de su encuentro con Dios y lo que Dios luego le dijo que dijera a todos: "¡Si ustedes no se arrepienten y quitan los ídolos de esta música de sus vidas, entonces yo quitaré mi Espíritu de ustedes!"

¡Después de escuchar esto, casi me caigo de mi sillón! "¿Qué es lo que acaba de decir?" pensé. Quiero decir, yo hago de todo para retar a la familia de Dios, pero este hombre citó una escritura del Antiguo Testamento, un salmo de arrepentimiento del Rey David (Salmo 51:11), y luego les dijo a los creyentes del Nuevo Pacto, sellados con el Espíritu Santo, que si no tiraban esos cds, el Espíritu Santo los dejaría. Déjenme aclarar algo, Dios no le habló a este hombre, y aunque Dios hubiera tratado de hablarle, su visión de Dios era tan lejana de la de un Padre amoroso, que en realidad quisiera saber si él entiende el amor de Dios por él, dejando de lado a los miles de personas a las que él les estaba hablando.

**Jesús dio su vida para que su Padre fuera nuestro también.**

Yo le animo a que esto penetre en usted y que conforme cada pensamiento que tiene acerca de quién es Dios y cómo él quiere hablarle a usted. Cuando vemos a Dios a través de una relación real de padre-hijo a nosotros, lo escucharemos con exactitud a Él también.

## Abrazando la Filiación

Cuando tenía 24 años me casé con mi maravillosa esposa Brigit. Cuando me comprometí en ser su esposo, también me convertí en el padre adoptivo de dos muchachos que mi esposa trajo a nuestra relación. Sus hijos tenían nueve y once años cuando nos nosotros nos casamos, cada uno de ellos tenía diferente padre biológico, los cuales no habían tenido en sus vidas por mucho tiempo. Nunca me había imaginado ser un padre adoptivo. Pero recibí un coraje dado por Dios para convertirme en padre para estos chicos. Al comienzo, todos estábamos emocionados por esta relación. Mi esposa me dijo que ellos habían orado cada noche para que Dios les trajera un padre y me sentí muy especial en ser la respuesta que a aquella oración. Estaba optimista. Esto va a ser maravilloso: sin desórdenes, ni protestas, un viaje sin problemas, ¿cierto? No exactamente. Con el tiempo, las dificultades empezaron a venir, y para ser honesto, los problemas que teníamos eran similares a los que hay dentro de la mayoría de familias, integradas o no. Sin embargo, estaba aprendiendo a ser un padre para estos chicos en desarrollo, que no me reconocían como su padre ni tenían deseos de hacerlo. Allí fue donde empecé a escuchar de Dios sobre mi relación con Él.

Varios años participando en esta nueva dinámica familiar, me encontraba orando por una dificultad con uno de mis hijos, y me desperté con una frase viniendo a mi mente: "Abraza tu hijo." Esta frase vino a mí muchas veces, yo simplemente no podía negar que era Dios. Empecé a orar y pensé lo que esta frase significaba, especialmente en el contexto de lo que yo estaba experimentando con mi propio hijo. Cuando empecé a escribir en mi diario acerca de esta experiencia, observé el dolor que estaba experimentando como padre, y ¡sólo entonces se hizo el click!

Me di cuenta que no tenía problemas en ser padre, estaba comprometido en amar, cuidar, ayudar, y reconciliarme con mis hijos. Sin embargo pude ver que mis hijos estaban luchando, en adoptar su derecho de filiación, especialmente en el contexto de tener un nuevo padre. Hasta ese momento, ellos habían crecido con su madre, y nunca tuvieron un padre hasta que yo aparecí. Aunque habían orado por un papá, no significaba que ellos supieran cómo recibir a alguien como tal. Aunque yo no sabía realmente cómo ser padre, yo me comprometí totalmente con mi rol y mi responsabilidad en ser uno. Los chicos, sin embargo no sabían cómo ser hijos para un padre, así que tenían luchas en aceptar su filiación; como si esta relación aparentemente les hubiera sido impuesta. Pienso que hacemos algo parecido cuando nos convertimos en cristianos. Cuando descubrimos que Dios es nuestro Padre, debemos aprender también lo que significa ser su hijo y adoptar esto como una realidad, nuestra identidad. Como padre, puedo decir honestamente que mucha de la tensión que tuve con mis hijos estaba de alguna manera relacionada con el hecho que ellos no adoptaban su rol como hijos y en lugar de ello intentaban y jugaban el rol de padre.

Esto es lo que nosotros somos y este es el contexto en el cual Dios se relacionará y nos hablará. Yo he visto a muchos aceptar que Dios es *Dios*, y tal vez

**Cuando aprendemos a escuchar a Dios, especialmente en el contexto de relación, es vital para nuestro desarrollo que adoptemos nuestra identidad como un hijo o hija de Dios.**

aún tengan un nivel de entendimiento de tenerlo como Padre, pero el futuro infructífero de nuestra relación con Él tiene que ver con el abrazar nuestra filiación completamente.

Hay muchas maneras de hacer esto, pero a nivel práctico yo empiezo llamando a Dios "papi" en mi tiempo de oración personal.

Esto puede sonar extraño, y cuando empiezas a hacerlo puedes sentirte raro, pero esto es algo que hice para adoptar lo que Dios dice que soysu hijo. Esta relación con Él es algo que tienes que abrazar, y hacer eso significa hacerlo práctico en algún nivel. De otra forma, nuestra mentalidad religiosa nos alejará de recibir los beneficios que Jesús ganó para nosotros.

Recuerdo la primera vez que enseñé acerca de escuchar la voz de Dios. Teníamos reuniones mensuales en la iglesia, y era normal que poca gente viniera, eran invitados por sus amigos. Recuerdo una reunión, en la cual una joven asistía por primera vez. A ella se le veía bien durante la enseñanza, pero una vez que empezó la oración, noté que se puso muy incómoda. Le pedí a alguien de la audiencia que se siente en una silla frente a todos los demás, mientras que el resto de nosotros en el cuarto orábamos y le pedíamos a Dios que nos hable para animarla. Cuanto más la gente compartía lo que ellos pensaban que Dios podría decirle a la persona en la silla, más notaba a esta joven mujer con deseos de salir volando por la puerta. Cuando terminamos de orar cerré la reunión y caminé hacia esta mujer y su amiga para preguntarles si todo estaba bien. Ella respondió inmediatamente, "¿Cómo puede pedirle usted a Dios que le hable ahora mismo?" Lo que quiero decir es que ¡Él es Dios!, a lo cual yo respondí "Yo creo que no veo a Dios de la misma manera en que usted lo hace. Pienso que Él es un Padre amoroso que se emociona cuando sus hijos quieren saber lo que Él piensa de otra persona, así que puedan ser animados". Estoy seguro que esta declaración le golpeó en la cabeza como una máquina de pinball hasta que ella simplemente dijo, "Sí, creo que tiene razón". Lo que compartió conmigo enseguida es la misma historia que he escuchado una y otra vez. "Fui criada en una iglesia donde todo era pura iglesia y muy poco acerca de desarrollar

**A menudo encuentro que el elemento faltante en nuestra experiencia en lo que respecta a escuchar a Dios está relacionado primeramente al arrepentimiento.**

una relación con Dios, especialmente una que implicara comunicación con Él — ¡eso sería algo loco!" Esta mujer no veía a Dios como un Padre amoroso y en consecuencia no había adoptado su identidad como su hija, lo cual afectó claramente su habilidad de oír a Dios, ¡al menos hasta esa noche!

## El Arrepentimiento es la Llave

Me doy cuenta que el arrepentimiento puede ser una de aquellas oscuras y sombrías palabras. Sin embargo el arrepentimiento es un regalo para aquellos que quieren conocer a Dios. El arrepentimiento es nuestra respuesta a lo que Jesús vino a hacer.

De hecho, el arrepentimiento y la fe son las únicas respuestas necesarias a la obra de Jesús para nuestro beneficio.

La palabra "arrepentirse" en el lenguaje original significa cambiar tu mente y en consecuencia, tus acciones. Esto es lo que es. Cuando miramos en la mayoría de diccionarios (no basados en el lenguaje original), usted encontrará referencias acerca de sentirse "apenado" o "pedir perdón otra vez". Si su experiencia ha sido como la mía, usted ha estado rodeado de los predicadores de la escuela antigua que piensan que hacer sentir a la gente mal de alguna manera los guía a cambiar sus vidas.

Usted y yo sabemos que el sentirse apenado no necesariamente significa un cambio. En consecuencia, la esencia del arrepentimiento es realmente negarse a su propia manera de hacer las cosas y adoptar la manera de Dios; es entonces cuando usted deja de escuchar su propia voz y empieza a escuchar la voz de Dios. Cuando Adán y Eva desobedecieron a Dios y comieron del árbol del conocimiento del bien y del mal, ellos escucharon la voz del diablo y empezaron a caminar en lo que les parecía bien a ellos.

Cuando abrazamos la obra terminada de Jesús, creemos lo que Él hizo en la cruz trae perdón y nos restaura a una correcta relación con Dios. Sin embargo, cuando creemos, debemos arrepentirnos de nuestros tercos caminos y aprender a oír su voz y *seguirlo* a Él (Juan 10:27) pues nos apartamos hace muchos siglos a través de nuestra desobediencia a Dios.

Echemos un vistazo al arrepentimiento porque se relaciona con escuchar a Dios y nuestra relación con Él, necesitamos ver la frecuencia con la que fue predicado. Mire estos pasajes.

### Juan el Bautista

En aquellos días vino Juan el Bautista predicando en el desierto de Judea, y diciendo: *"Arrepentíos, porque el reino de los cielos se ha acercado."* (Mateo. 3:1-2)

### Jesús

Desde entonces comenzó Jesús a predicar, y a decir: *"Arrepentíos, porque el reino de los cielos se ha acercado."* (Mateo. 4:17)

### El Apóstol Pedro

*Pedro les dijo: "Arrepentíos, y bautícese cada uno de vosotros en el nombre de Jesucristo para perdón de los pecados;* y recibiréis el don del Espíritu Santo." (Hechos 2:38)

El arrepentimiento es el primer mensaje de Juan el Bautista. Luego vemos el mismo mensaje en la vida de Jesús y sus doce discípulos. ¿De qué se trataba esto? ¿Estaba tratando Jesús de hacer sentir a la gente triste por sus pecados? Si fue así, el de seguro recorrió un largo camino para hacer sentir mal a la gente. Por supuesto que nosotros sabemos que esto no es verdad, sino que Jesús estaba buscando algo específico en este mensaje de arrepentimiento. Esto es algo que yo creo que perdemos de vista cuando no vemos la figura completa: Dios nos creó para una relación (incluyendo la comunicación diaria), pero nosotros escogimos pecar y escuchar otra voz. Luego, Jesús vino a restaurar nuestra relación con nuestro Padre al dar su propia vida por nosotros, y ahora Él nos está llamando a arrepentirnos y creer otra vez. Creo que los cristianos tienen una parte del creer, al menos lo que se refiere a confiar en lo que Jesús hizo en la cruz como el único camino para la salvación. Sin embargo, la parte del arrepentimiento, en mi opinión, es la clave que desata el aspecto de relación por el que Jesús pagó.

Jesús dijo, "Arrepentíos, porque el reino de los cielos se ha acercado" (Mateo 4:17), y empezó a enseñar y todos le escuchaban de los caminos de su reino.

Escuchar a Dios empieza con humillarnos a nosotros mismos y arrepentirnos de seguir nuestros propios pensamientos, nuestros caminos, y nuestras opiniones, en lugar de abrazar los pensamientos de Dios y sus caminos revelados en la Biblia y por el Espíritu Santo.

**Una persona con un corazón arrepentido no solo está buscando escuchar a Dios; está comprometido a seguirlo, sin importar lo que Él le pueda pedir.**

Recuerde, fuimos creados para caminar con Dios y creer lo que Él dice como algo real. Desafortunadamente hemos sido desviados de esta relación dinámica con Dios, por lo que necesitamos el arrepentimiento como base de esta relación y así asegurarnos de que lo escuchamos y lo seguimos. Cuando Jesús estuvo en la tierra, muchos lo escucharon enseñar, pero sólo aquellos que se acercaron a escuchar y *seguirle* fueron aquellos que compartieron una relación con Él.

Aquí es donde hacemos a Jesús el *Señor* de nuestras vidas y no solamente nuestro Salvador. Su señorío en nuestras vidas es la esencia de venir a su reino. Jesús es el Rey y Él vino revelando lo que su reino era a aquellos que escogían entrar. Pero entrar en este Reino significa someternos voluntariamente a nosotros mismos al gobierno y la voluntad del Rey, donde su voluntad es nuestra voluntad, su verdad nuestra verdad, y todo está en orden otra vez. Si usted quiere oír a Dios, necesitará destronarse a usted mismo como el gobernador soberano de su vida y dejar al Rey Jesús sentarse en el trono de su alma.

## Capítulo 1 – Preguntas de Repaso

1. ¿La relación que usted tiene con Dios es verdaderamente personal? Si es así, ¿qué la hace personal? Y si no, ¿qué es lo que está faltando?

2. En su relación con Dios, ¿usted lo trata como su Padre? ¿Cómo cambiaría su relación con Dios si usted lo percibiera como un buen padre?

3. ¿Usted cree que escuchar a Dios está conectado a su relación con Él? Si es así, ¿de qué forma?

4. ¿Qué es lo que más lo anima en este capítulo y cómo lo aplicaría a su vida?

# CAPÍTULO 2
# ESCUCHAR A DIOS ES PARA TODOS

En nuestra sociedad, el tema de escuchar de Dios puede ser difícil de tratar, tanto que parece que nadie que proclama escuchar a Dios escudriña profundamente y en muchos casos se da por perdido completamente. Los medios de comunicación encuentran a la gente más extraña que proclaman, "Dios me dijo que haga esto", y cualquiera que lee o mira esto piensa, "Que persona tan loca". Bueno, sí, pueden ser. Probablemente ellos son locos, en un sentido literal. Pero el mensaje sutil de los medios que apunta entrevistar esta clase de personas es, "Aquí vamos de nuevo; otro tipo chiflado diciendo que Dios le habla". Mientras que ellos han dado reseñas exactas de esta persona en particular, hay una perspectiva cínica que está siendo impartida a los espectadores acerca de *cualquiera* que dice que escucha de Dios. Aun los cristianos escogen este cinismo, especialmente cuando no tienen experiencia con Dios hablándoles a ellos o a cualquiera que ellos conozcan.

Esto puede sonar como un complot pero creo que el enemigo usa los medios convencionales para echar una sombra negra sobre el cristianismo real. Hay miles de historias en el globo de Dios hablando con personas, realizando poderosos milagros y usando personas para servir a otros de manera natural y sobrenatural. ¿Quién está registrando estas historias? Usted sabe tan bien como yo, que esto raramente ocurre. Sin embargo si algún predicador de alto nivel se ve envuelto en pecado sexual, sin duda que verá esa historia por meses en los formatos de medios de comunicación múltiple. Escuche, hay un ataque real del enemigo para desacreditar la realidad sobrenatural de Dios y su gente. El fruto de este ataque es un amplio escepticismo en el cuerpo de Cristo— hermanos y hermanas en Cristo creyendo en un Dios vivo, que por alguna razón, nunca habla hoy.

En otras palabras, si luchamos con la idea de que Dios nos habla, necesitamos recordar que servimos a un Dios viviente que no está sujeto a un orden natural, sino a un orden que Él ha creado.

## Si usted es cristiano, entonces cree en un Dios sobrenatural, que hace cosas sobrenaturales, e incluso escoge hacerlas a través de personas.

¡Usted no puede inclusive ser cristiano a menos que crea que Jesús se levantó de los muertos! Nuestro Dios está vivo, y Él les habla a las personas.

No hay lugar para el cinismo en el corazón de un cristiano. ¿Debemos discernir? ¡*Sí*! ¿Debemos sopesar las cosas que la gente dice que Dios le ha dicho? ¡*Sí*! Pero de ninguna manera eso debe traducirse en ser automáticamente escéptico con respecto a un Dios viviente y real que habla a gente viviente y real. Mientras que los medios no creyentes, y otros buscan desacreditar la realidad de un Dios amoroso que se comunica con la humanidad, nosotros debemos resistir su reporte y buscar nuestro consejo a partir de la Biblia.

Cuando usted estudia la Biblia, rápidamente descubrirá que la mayoría de personas en algún momento escucharon a Dios de una manera u otra. Se puede fácilmente concluir que escuchar a Dios fue algo común para aquellos que caminaron cerca del Señor. Si era lo más común para hombres y mujeres de la antigüedad, entonces debería ser común para aquellos que caminan con el Señor hoy. A menudo proclamamos creer en la Biblia, pero lo que realmente significa es que creemos en aquellas cosas que ocurrieron antes, pero que ya no nos ocurren ahora. Asegúrese de que el mismo Dios que le habló a la gente en los tiempos de la Biblia es el mismo Dios que vive en nosotros a través del Espíritu Santo hoy. ¡Nada ha cambiado porque el mismo Dios no ha cambiado! "Jesús es el mismo ayer, hoy y por los siglos" (Heb. 13:8).

En los últimos años he discutido sobre el tema de escuchar a Dios con muchas personas. Siento como que hubiera escuchado casi toda perspectiva con respecto a este tópico, pero quien sabe, quizás hay otros que aún no he escuchado. En estas conversaciones, he podido convencer a un número de personas de que Dios habla hoy como siempre lo ha hecho. Lo más poderoso que ocurre en alguien que conoce esta verdad es que esa persona empieza a esperar que Dios le hable a nivel personal.

Esto tiene un efecto energizado en la vida espiritual. Nuestras expectativas avivan nuestra fe en Dios, plantando en nosotros una ansiosa disposición de escuchar su voz, algo que no se encontraba allí antes.

**La expectación convertirá la apatía en una honesta búsqueda de escuchar a Dios hablar.**

Varias personas que conozco todavía no entienden los mensajes de texto y la mayoría de ellos no tienen deseo de hacerlo. Puedo enviarles un mensaje de texto y sus teléfonos serán capaces de recibir mi mensaje, pero yo nunca recibiré una respuesta de ninguno de ellos. Pueden recibir el mensaje, pero debido a que no los leen o no saben cómo hacerlo, nuestra comunicación es imposible. De la misma manera, todos *podemos* oír la voz de Dios, pero eso no significa que todos lo *hacemos*. Solo porque algo está disponible no significa que tomemos ventaja de ello.

Supongamos que usted o alguien que usted conoce está haciendo una pregunta, "¿Por qué cree que Dios habla a la gente hoy? Mi respuesta es muy simple. Dios habla a la gente en la Biblia, Dios habla a la gente en la historia, y Dios habla a mucha gente hoy. Vamos a pasar el resto de este capítulo comprobando que Dios habló a la gente en el pasado y sigue hablando con nosotros.

## Escuchando a Dios en el Antiguo Testamento

La primera vez que leemos que Dios le habla a la gente se encuentra en la narración de la creación. Dios creó a Adán y Eva y luego les dijo lo que quería Él que ellos hicieran.

> Y los bendijo Dios, y les dijo: Fructificad y multiplicaos; llenad la tierra, y sojuzgadla, y señoread en los peces del mar, en las aves de los cielos, y en todas las bestias que se mueven sobre la tierra. (Gen. 1:28)

Es seguro asumir que Dios habló con Adán y Eva claramente, personalmente y audiblemente. Sin embargo, en Génesis capítulo tres, Adán y Eva escogieron pecar, y desde ese momento la comunicación de Dios con ellos, con los hombres y las mujeres como un todo, empezó a cambiar dramáticamente.

En el Antiguo Testamento continuamos leyendo acerca de Dios hablando audiblemente a personas como Caín y Abel, Noé, Abraham y muchos otros (Gen. 4:9; 7:1; 12:1). A medida que el tiempo avanzaba la comunicación de Dios con las personas se convirtió en menos personal. En Génesis capítulo 20 Dios empieza a comunicarse con la gente a través de sueños. De allí en adelante leemos en la Biblia de una distancia mayor en la relación de Dios con los humanos, sumado a un incremento de las diferentes formas de comunicación entre ambos.

En el libro de Éxodo, un hombre llamado Moisés tuvo un dramático encuentro con el Señor (Éxodo 3). De este encuentro él fue enviado a liberar la nación de Israel en estado de servidumbre y esclavitud de Egipto y reunirlos con el Dios de sus ancestros. La Biblia revela que Dios tenía una relación especial con Moisés y que se comunicaba con él personalmente, lo que es muy similar a lo que Adán y Eva tuvieron antes de pecar.

"Y hablaba JEHOVA a Moisés cara a cara, como habla cualquiera a su compañero…" (Éxodo 33:11).

En el Antiguo Testamento existen pocas personas que tuvieron la clase de relación con Dios que tuvo con Moisés. Dios mismo dijo esto a aquellos que se opusieron a Moisés:

> Entonces JEHOVA descendió en la columna de la nube, y se puso a la puerta del tabernáculo, y llamó a Aarón y a María; y salieron ambos. Y Él les dijo: "Oíd ahora mis palabras. Cuando haya entre vosotros profeta de Jehová, le apareceré en visión, en sueños hablaré con él. No así a mi siervo Moisés, que es fiel en toda mi casa. Cara a cara hablaré con él, y claramente, y no por figuras; y verá la apariencia de Jehová. ¿Por qué, pues, no tuvisteis temor de hablar contra mi siervo Moisés?" (Num. 12:5-8)

Mientras que este pasaje revela la cercana relación que tenía Dios con Moisés, también nos dice que Dios no era muy personal en su comunicación con otros en aquel tiempo. Es importante reconocer mientras leemos, las diferentes maneras en que Dios hablaba a la gente en el Antiguo Testamento.

A través de Moisés, Dios estableció su Ley y aún después de que Moisés murió, la Ley revelaba la forma cómo Israel iba a vivir. Sin embargo, Dios todavía usaba varios mediadores para comunicarse con su pueblo, los cuales le ayudarían a conocer sus prioridades en medio de sus actuales circunstancias. Los primeros mediadores de la voz de Dios en el Antiguo Testamento fueron los profetas, los sacerdotes y los reyes.

La palabra profeta significa "un portavoz" y se refiere a alguien que actúa como la boca de Dios.[6] La Biblia refiere a Abraham y Moisés como profetas (Gen. 20:7; Deut. 18:15), pero a través de Samuel Dios empezó una línea sucesiva profética por la que solía hablar a su pueblo. Estos profetas eran hombres como Elías, Eliseo, Jeremías, Isaías y Ezequiel.

En 1 Samuel 8, la nación de Israel se reunió para exigir que el Profeta Samuel les nombrara un rey. Hasta este punto Israel no tenía un rey como las otras naciones. Samuel se entristeció por su solicitud porque tenía celo por Israel pues sólo tenían a Dios como su rey. Dios concedió la petición de Israel y envió a Samuel a nombrar a Saúl como su primer rey (1 Sam. 9:16). Los reyes de Israel se convirtieron en los principales mediadores de la voz de Dios en aquel tiempo. Un rey justo era el que seguía la Ley, escuchaba la voz del Señor, y guiaba a la gente a hacer lo mismo. Un rey inicuo desviado de la ley de Dios, ignoraba la voz de Dios, y por lo tanto llevaba a la gente a hacer lo mismo.

A través de todo esto vemos cómo Dios creó originalmente a los seres humanos para estar cerca de Él de una manera personal, pero con el pecado de Adán y Eva, la humanidad experimentó un alejamiento de Dios y se acostumbró a escuchar su voz a través de mediadores como profetas, sacerdotes y reyes. Este no era el plan de Dios, pero sin duda tenía un propósito en el tiempo y la historia, que nos ayudará a medida que continuamos mirando el desarrollo de la relación y la comunicación de Dios con la humanidad.

## Escuchando a Dios en la Vida de Jesús

Cuanto más lee el Antiguo Testamento, más fácil será ver a un Dios distante, que se comunica a través de gente escogida para las personas comunes. Cuando Jesús vino a la tierra,

**Dios quebró la barrera de distancia para acercarse a nosotros en Jesucristo.**

el pueblo de Israel era oprimido por el gobierno romano y por el establecimiento religioso que reforzó la imagen de un Dios distante, y sus pocos ungidos, especialmente escogidos para ellos.

Dios el Padre envió a su Hijo unigénito a restaurarnos completamente.

Jesús es la provisión completa de Dios para nosotros y todo lo que necesitamos encontrar en Él. En la medida en que nos volvemos a Jesucristo, Él se convierte en nuestro único mediador, acerca del cual Dios Padre hablará. Jesús es nuestro Profeta, Sacerdote y Rey. Dios puede usar a otros para hablar a nuestras vidas, pero podemos todos estar en un nivel personal con Dios debido a Jesús.

> Dios, habiendo hablado en otro tiempo muchas veces y de muchas maneras a los padres por los profetas, en estos últimos días nos ha hablado por el Hijo, a quien constituyó heredero de todo, y por quien asimismo hizo el universo (Heb. 1:1-2).

Jesús quería que la gente conociera y escuchara a Dios, y por esto mismo fue que él vino. "Mis ovejas oyen mi voz, y yo las conozco y me siguen" (Juan 10:27). Jesús no sólo le dijo a la gente que esta clase de relación era posible, sino que Él dio su vida para hacerla disponible. ¡Esas son buenas noticias!

## Escuchando a Dios a través del Espíritu Santo

Después de caminar con sus discípulos durante más de tres años, Jesús les dijo que estaba a punto de partir y que era a su favor que lo hacía (Juan 16: 7). Estoy seguro de que no podían imaginar cómo las cosas podrían ser mejores que vivir diariamente con el Hijo de Dios, pero prometió que había algo mejor por venir. Jesús dijo que el Espíritu Santo vendría realmente a vivir en ellos (Juan 14:17). Sí, escuchamos correctamente a Jesús. Dios va a vivir en usted por el Espíritu Santo.

Hay muchas cosas que Jesús no podía aún comunicar siquiera a sus discípulos hasta que el Espíritu Santo se instalara en el interior de ellos. Jesús prometió a sus discípulos que cuando viniera el Espíritu Santo ellos serían capaces de escuchar a Dios como nunca antes. Ahora, los que siguen a Jesús tienen el Espíritu Santo que habita en su interior y son capaces de escuchar a Dios otra vez de una manera personal.

> Aún tengo muchas cosas que deciros, pero ahora no las podéis sobrellevar. Pero cuando venga el Espíritu de verdad, Él os guiará a toda la verdad; porque no hablará por su propia cuenta, sino que hablará todo lo que oyere, y os hará saber las cosas que habrán de venir.
>
> Él me glorificará; porque tomará de lo mío, y os lo hará saber. Todo lo que tiene el Padre es mío; por eso dije que tomará de lo mío, y os lo hará saber (Juan 16: 12-15).

Puesto que Jesús se iba de la tierra, los discípulos y seguidores posteriores de Jesús necesitarían la ayuda de Dios para conocer y seguir sus caminos. El Espíritu Santo tiene muchos roles y responsabilidades en nuestras vidas, pero me gusta cómo el pasaje anterior se refiere a él como nuestro "guía". ¡Qué cuadro tan práctico del tipo de comunicación que recibimos del Espíritu Santo. Un guía es alguien que te acompaña en un viaje para ayudarte a alcanzar tu destino de una manera segura!

Un guía no sólo conoce pero también sabe dónde está el destino, sino que está familiarizado con el viaje para llegar allí. Por lo tanto, nuestras vidas deben estar dedicadas a seguir la dirección del Espíritu Santo.

En Hechos capítulo 2, el Espíritu Santo se derrama sobre todos los que creen en Jesús y, como resultado, la iglesia

## El Espíritu Santo sabe dónde tenemos que ir y Él está comprometido a guiarnos cada día para que podamos llegar.

comienza a experimentar cosas increíbles, incluyendo la manifestación de la voz de Dios en medio de ellos de manera individual. Ahora, todo el mundo puede escuchar a Dios. Leemos acerca de ángeles que hablan a las personas (Hechos 8:26), otros tienen visiones (Hechos 10 : 9-17), y algunos incluso escuchar la voz audible de Dios (Hechos 9: 3-6). Hay numerosos reportes del Espíritu Santo comunicándose a través de los cristianos en el libro de los Hechos.

Es increíble saber que muchos saben que Dios vive en ellos por el Espíritu Santo, pero por alguna razón no trata de comunicarse con nosotros como en el libro de Hechos. Yo creo que Dios vive tan cerca de mí, como para no decir algo. El Espíritu Santo ha estado hablando a personas por los últimos 1,900 años de la historia y se está comunicando con todos los que puedan escucharlo hoy.

Todos pueden escuchar a Dios, pero no todos lo hacen. Lo que nosotros creemos acerca de la voz de Dios nos facultará o nos impedirá poder escuchar.

## Reportes Históricos de Haber oído a Dios

Estos son sólo unos pocos relatos históricos de personas que escucharon a Dios en su día y respondieron a lo que dijo. Los siguientes ejemplos están bien documentados y han producido fruto en relación a casos concretos de escuchar a Dios. Curiosamente, cuanto más he estudiado la historia de la iglesia he encontrado más reportes de gente escuchando la voz de Dios, así que le animo a hacer lo mismo para edificar su fe y escuchar a Dios.

## *Policarpio (Obispo de Esmirna) 69 - 155 AD*

Policarpo fue un hombre que nació hacia el final de la vida de los doce discípulos de Jesús. Los eruditos creen que fue discipulado y fue nombrado como obispo de Esmirna por el propio Apóstol Juan. La mayoría de los relatos históricos de la iglesia reconocen a Policarpo por ser uno de los tres padres apostólicos de su tiempo. Es ampliamente conocido hoy a causa de su martirio, el reporte de lo que se puede leer en el libro de los mártires, y en otra literatura menos conocida. Policarpo también escribió varias epístolas, pero sólo una ha sobrevivido, la que se conoce como "la epístola a los Filipenses" relacionada con Ignacio. Además, hay algunos documentos históricos que registran la vida y el martirio único de Policarpo donde Dios le habló a través de una visión.

Policarpo estaba siendo perseguido por hostiles a causa de su fe en Cristo y su posición en la iglesia, pero él estaba en paz en su corazón y no temía lo que podía venir. Una noche, durante su tiempo diario de oración, Policarpo recibió una visión de Dios. En esta visión podía ver una almohada debajo de la cabeza, que parecía estar en llamas. Al salir de esta visión se volvió hacia los que estaban con él, y les dijo proféticamente: "Voy a ser quemado vivo."

Tres días después de recibir esta visión de Dios, Policarpo fue entregado en manos de sus perseguidores.

Mientras estuvo custodiado se le dijo que debía injuriar y renunciar al nombre de Cristo, lo cual él se negó a hacer. La visión que el Señor le dio, se hizo realidad. Policarpo fue sentenciado a morir y ser quemado vivo en la hoguera. Dios preparó sorprendentemente a este hombre para su muerte, a través de una visión. Este no fue el único registro que leemos acerca de Dios hablando con Policarpo, pero es el más conocido.

## San Agustín (Arzobispo de Hippo) 354 - 430 AD

San Agustín fue uno de los primeros teólogos cristianos y obispo de la Iglesia Católica. Él fue y es ampliamente conocido y reconocido por sus sermones y libros, en vías de ser impresos, los cuales se leen en todo el mundo actual. Hay varios casos registrados en los que Agustín escribe sobre escuchar la voz de Dios, pero el que es más conocido se ubica el momento de su conversión.

Según su propio relato, Agustín estaba sentado con un amigo un día y escuchó una voz audible que parecía la de un niño. La voz le dijo repetidamente: "Toma y lee." Cuando oyó la voz que creía que era una exhortación divina a abrir la Biblia y leer el pasaje que le tocara al abrirla. Y así pasó que Agustín llegó a este pasaje en Romanos:

> Andemos como de día, honestamente; no en glotonerías y borracheras, no en lujurias y lascivias, no en contiendas y envidia, sino vestíos del Señor Jesucristo, y no proveáis para los deseos de la carne (Rom. 13:13-14).

Fue debido a esta experiencia, entre otras influencias, que Agustín decidió convertirse al cristianismo. Un tiempo después de esta experiencia, él fue bautizado, y empezó a estudiar para ser sacerdote. En 391 AD, Agustín fue ordenado como sacerdote y continuó con sus escritos, los que han influenciado ampliamente al cristianismo occidental y la filosofía hasta la actualidad. Aquí está un hombre profundamente arraigado en la historia del cristianismo, que oyó la voz de Dios y fue cambiado a causa de ella.

## Aimee Semple McPherson (Evangelista) octubre 1890 - septiembre 1944

McPherson es sin duda la líder cristiana más grande y mejor conocida en la historia de la iglesia. Aimee nació durante la reforma Pentecostal en donde se convirtió en un líder clave para el progreso del evangelio de Jesucristo a través de la expresión pentecostal. Muchos libros y artículos se han escrito en la crónica de su increíble y controversial vida.

Innumerables historias podrían ser contadas sobre cómo Aimee oyó la voz de Dios y obedeció con gran pasión. Aunque muchos podrían refutar aspectos de estas historias, el fruto de su ministerio testifica de la actividad del Espíritu Santo. Al principio de su ministerio ella luchó en su corazón con su llamado a predicar el evangelio, pero un día, en medio de una gran enfermedad y una operación médica importante, Aimee escuchó la voz del Señor decir repetidamente: "*¿Ahora irás?*" a lo que ella finalmente respondió: "Sí, Señor, iré."

Aimee Semple McPherson predicó a millones a través de los avivamientos en carpas, la radio, y las iglesias por diferentes lugares. Su compromiso con el evangelio y la iglesia local la llevó a fundar el Templo Ángelus (la iglesia que pastoreaba en Los Angeles, CA), y en última instancia la Denominación Cuadrangular, floreciente aún hoy. Sus hazañas fueron numerosas, su influencia fue increíble, y todo empezó por su respuesta a la pregunta que le hizo Dios: "*¿Irás?*". Pido a Dios que podamos escuchar a Dios y responderle como lo hizo Aimee Semple McPherson.

## Historias Modernas de Gente que escuchó a Dios

Estos son algunos relatos recientes de personas que escucharon a Dios y le respondieron. Todas estas historias son escritas por personas que conozco personalmente, y en las que confío, por lo que a medida que lee por favor extienda la misma confianza hacia ellos y sea alentado por lo que Dios ha hecho.

### *Roberta (Madre)*

Una mañana, mientras yo hacía mis tareas domésticas de la mañana, oí al Señor decir: "Ora por Lindsey, se trata de suicidio." Aunque no he oído la voz de Dios audiblemente, esta declaración fue tan clara que bien podría haberlo sido. Yo sabía que se refería a mi sobrina, y fui sacudida hasta la médula. Inmediatamente me puse a orar y pedir, qué más podía hacer. Esa tarde llamé a mi hija, que era muy cercana a Lindsey, pensando que ella podría saber si Lindsey estaba luchando con la depresión. Ella no sabía nada, así que llamé a mi hermana, ella me dijo que Lindsey estaba en casa de visita y parecía estar bien; de hecho, parecía estar más conectada a la familia de lo que había estado por mucho tiempo.

Varias semanas más tarde, recibí una llamada telefónica de mi hermana diciendo que Lindsey estaba en el hospital por una sobredosis, un intento de suicidio. Esto inició un tiempo de intensa oración y caminar junto a la familia de mi hermana. Ese año, yo estaba estudiando el libro de Daniel y sentía que cada vez que Daniel estaba orando sobre su rostro, yo estaba haciendo lo mismo. En un momento, sentí que el Señor me pedía que llame a toda la familia para pedirles que tomáramos un día de ayuno y oración por Lindsey. Fue en este punto que descubrí que el espíritu de la depresión y el suicidio estaba en nuestra línea familiar, y la batalla en la oración se convirtió en una batalla por toda mi familia.

Ocho meses más tarde, después de al menos dos intentos de suicidio, Lindsey entró al programa Teen Challenge en California. Fui llamada a cuidar de ella como voluntaria en un centro de Teen Challenge aquí en Washington. Mientras caminaba junto a Lindsey tuve el honor de ministrarla de vez en cuando. Una vez compartí un sueño que Dios me había dado donde ella aparecía. En el sueño, Lindsey hizo una pregunta. Era la misma pregunta que ella había escrito en su diario meses antes. Dios usó el sueño para revelar su gran amor por ella.

Tres años y medio después, escuché al Señor decir dulcemente, "Te estoy liberando de la oración por Lindsey y aquel que pronto será su esposo ahora la cubrirá a ella en oración". Al escribir estas líneas, están celebrando su segundo aniversario y espera su primer hijo, un niño.

## Marcia (Pastor)

Yo había estado asistiendo a una universidad cerca de cuatro horas de mi pueblo natal, y un fin de semana necesité manejar a casa para un evento familiar.

Decidí hacerlo el viernes por la noche, pero cuando llegó el momento yo estaba totalmente agotada y sentí que sería demasiado para mí conducir esa noche sola. Sabiendo que yo iría la madrugada del sábado, me pasé la noche con mis amigos y terminé con muy poco tiempo para dormir y prepárame para el viaje. Con dos horas de sueño, me levanté para mi viaje a casa, aún más agotado de lo que estuve la noche anterior. Una hora en mi auto, yo apenas podía mantenerme despierta o mantener los ojos abiertos, así que decidí tomar una siesta en mi auto. Entré en un estacionamiento del centro comercial abandonado para tomar una siesta rápida, y me estacioné en medio del lote sólo para mantenerme a salvo. Fue alrededor de las 4:30 de la mañana, así que el estacionamiento estaba completamente vacío. Tomé mis llaves de ignición, comprobé dos veces que todas mis puertas estaban cerradas, y me eché a dormir.

Después de dormir durante unos 15 minutos oí una voz que me decía: "Despierta, pon las llaves en la ignición, y maneja." Sin pensarlo, hice exactamente lo que me pidió hacer. En el proceso de hacer esto, miré por la ventana del lado del pasajero y, vi a un hombre parado justo al lado de mi carro con las manos sobre mi ventana. Sonreí y saludé al hombre mientras me alejaba manejando. Cuando el hombre me vio, quedó completamente sorprendido y se alejó de mi carro rápido. Durante algún tiempo no pensé en nada más que esto, mientras entraba en la autopista y terminé mi recorrido ya despierta.

Un par de millas por la carretera, empecé a pensar en lo que acababa de suceder. Me di cuenta de que el hombre en el estacionamiento estaba tratando de entrar en mi auto mientras yo dormía. Cuanto más pensaba en ello, más me daba cuenta que había escuchado realmente la voz de Dios. Por escuchar la voz de Dios fui protegido de lo que aquel hombre había intentado hacerme. Pasé el resto de mi recorrido alabando y adorando a Dios, dándole gracias por su misericordia y protección sobre mi vida.

## Chuck (Pastor)

Cuando cumplí 18 años me encontré deprimido y sin esperanza, creyendo que la vida era dura y sólo se iba a poner peor. En lugar de ser desafiado a hacer grandes cosas con mi vida, yo estaba cansado y agotado por los retos que había enfrentado. Con el fin de poner fin a esta adversidad, hice planes para suicidarme. Me crié en las montañas cerca de un lago y había pasado muchos veranos nadando allí. Este era un lago que yo conocía bien, en el que incluso algunas veces sin querer casi me ahogué. Tener estos roces con la muerte me hizo pensar que ahogarme podría ser la mejor manera.

Una mañana me levanté y me dirigí a ese mismo lago de la montaña. Era diciembre y la helada de la mañana todavía cubría el suelo. Pensé que si podía nadar en medio del lago, el agua fría de la montaña haría el trabajo para poner fin a mi vida. Cuando puse mis pies en el agua, se adormecieron al instante, y se me ocurrió que mi desesperado plan probablemente funcionaría. Cuando me preparaba para saltar, oí una voz audible decirme: "¿Por qué no me das una oportunidad?" La voz era fuerte y clara, e incluso sonaba como si viniera de alguien parado justo detrás de mí. Me volví y no encontré a nadie, así que grité, "Hola, ¿Hay alguien ahí?" Ví a bastante distancia a mi alrededor, pero no había nadie, así que me quedé allí confundido, preguntándome quién acababa de hablarme.

En ese momento me di cuenta de que lo que oí fue la voz de Dios. En lugar de estar feliz o emocionado, estaba enojado. "¿Por qué Dios esperó hasta que mis pies estuvieran en el agua, y estuviera a punto de zambullirme antes de decirme algo?", pensé, estaba tan enojado que empecé a gritar al aire. "Dios, si eres tú, voy a hacer un trato contigo. Voy a ir donde quieres que vaya, hablaré con quién tú quieras que hable y haré lo que quieres que haga. Incluso voy a ir a la iglesia todos los domingos, si sólo me haces feliz".

Antes de las palabras salieran de mi boca, sentí lo que sólo puedo describir como paz entrando en mi cuerpo. Empezó en la parte superior de mi cabeza y se movió a través de todo mi cuerpo como una ola. Me hizo sentir calor en ese día frío y, tuve la impresión de que podía manejar cualquier dificultad que viniera a mi camino. Después de eso me fui a casa y traté de encontrar una iglesia donde me enseñaran acerca del Dios que estaba detrás de la voz que había oído. ¡Hoy en día, como pastor, tengo la oportunidad de ayudar a otros a descubrir al Dios que me salvó de la muerte física y espiritual!

### Trevor (Pastor de Jóvenes)

Mi hermano mayor sirve en el ejército y, cuando estaban desplegados en Afganistán, mi familia y yo orábamos por él con regularidad.

Mientras volvía a casa a altas horas de la noche, el Señor me habló acerca de orar por la protección de mi hermano, así que comencé a orar con una clara urgencia que venía de parte del Señor. Poco después, llegué a casa y me fui a la cama sin entender completamente lo que acababa de suceder. A la mañana siguiente me desperté cuando mi padre vino apresurado en mi habitación con la noticia de que mi hermano había sido golpeado por un IED (artefacto explosivo improvisado). Desde la llamada telefónica que recibimos, sabíamos que mi hermano estaba en condición crítica, pero no recibimos respuestas o detalles específicos sobre este evento. Unas dos horas después, mi hermano nos llamó para hacernos saber que tenía heridas leves y estaría bien.

Cuando mi hermano llegó a casa de su viaje a Afganistán, nos contó la historia completa de todo lo que había sucedido en torno a este evento. Increíblemente, el momento de mi oración se sincroniza directamente con el momento de este hecho. No hay duda de que Dios me habló acerca de orar y luego respondió la oración para proteger a mi hermano y nuestra familia de una gran pérdida. Estoy muy agradecido de que Dios nos habla y que contesta nuestras oraciones.

## Capítulo 2 – Preguntas de Repaso

1. ¿Cómo los relatos bíblicos de escuchar a Dios difieren de sus experiencias? Si hay una diferencia, ¿por qué cree que es así?

2. ¿Qué reportes históricos de personas que escucharon de Dios te inspiran? ¿Por qué?

3. ¿Cuáles son los ejemplos más claros de escuchar a Dios en su propia experiencia? ¿Qué pasa con los reportes de otras personas que usted conoce o ha oído hablar?

4. ¿Qué es lo que le animó más sobre este capítulo y la forma en que usted lo aplica a su vida?

# CAPÍTULO 3
# ESCUCHANDO A DIOS Y LA BIBLIA

Antes que yo fuera cristiano honestamente podía decir que la Biblia me daba miedo. Recuerdo un par de veces en que me senté y estaba tan abrumado y con tal convicción cuando me daba cuenta de que la Biblia estaba a mi lado. Parte de esa inusual reverencia fue el resultado de haber sido criado como cristiano, y la decisión de rebelarme contra lo que me enseñaron. Creo que el otro lado de mi reverencia vino del verdadero autor de la Biblia, el Espíritu Santo. Un día incluso tomé una Biblia siendo no cristiano y empecé a leer el libro de Apocalipsis. ¡Me asusté! Debo de haber leído varios capítulos ese día porque todo lo que podía recordar eran dragones, rameras, águilas, guerras, plagas, y el mundo que llegaba a su fin.

Cuando le di mi corazón a Jesús, ya no estaba asustado de la Biblia; estaba entusiasmado con la lectura de este libro sagrado. Tomaba el autobús para trabajar todos los días y pasaba todo el tiempo leyendo, resaltando, subrayando, y enamorándome de la palabra de Dios. Al principio de mi vida cristiana me comprometí a leer la Biblia todos los días. Por la gracia de Dios, he guardado ese compromiso. Tengo una reverencia dada por Dios hacia la Biblia, ésta afecta mi vida a diario en lo que pienso, veo, y hago.

Amigos, la Biblia es más que un libro. La Biblia es más que letras en una página conteniendo buenos pensamientos, relatos históricos, gran poesía, y un esquema general del plan de Dios. La Biblia es la palabra de Dios. Debemos tomar en serio la manera de ver y acercarnos a la Biblia, porque la forma en que percibimos la palabra de Dios determinará nuestra salud espiritual en general.

Tal vez usted está al tanto de los hechos básicos de la Biblia, que es una colección de 66 libros, escritos por más de cuarenta autores, incluyendo tres idiomas diferentes, y que se extiende por un período de tiempo de 1.500 años. Tal vez usted sabe que la Biblia contiene varios relatos de la historia, cientos de profecías cumplidas y aún no cumplidas, proverbios y poesía antigua e importantes cartas del primer siglo. Es posible que haya aprendido cómo la Biblia guarda una unidad en el tema, la estructura, y el espíritu, con una consistencia en las enseñanzas doctrinales y morales en toda su totalidad. Pero, ¿estos hechos te hacen arrodillar ante Dios, que no sólo trajo este libro a la existencia, sino que también lo hace vivo para aquellos que caminan con Él? ¿Tratamos la Biblia como la santa palabra de Dios, o como otro conjunto de palabras, al igual que hacemos con muchos otros libros, enseñanzas, películas, y relatos académicos e históricos?

Parece que donde quiera que vaya a enseñar y ministrar, hay un grupo de personas que necesitan saber cuál es mi posición ante la Biblia. Realmente aprecio a los que necesitan que yo de mis declaraciones, para que conste, mi postura global y compromiso con la Biblia cuando abordo temas como el escuchar a Dios. Mi punto de vista de la escritura es muy fundamental, pero no creo personalmente que el propósito de la Biblia y el escuchar a Dios se den por la misma razón.

Algunas personas, sin importar lo que diga, pensarán que tengo una visión pobre de la Biblia porque creo que Dios habla hoy todavía. Y esto no puede estar más lejos de la verdad.

Mi punto de vista de las Escrituras, y mi compromiso de vivir y experimentar la escritura es lo que me lleva a las conclusiones que usted leerá en este libro. Cuando escuchamos a Dios, no estamos tratando de reescribir la Biblia, de añadirle o quitarle algo. Cuando escuchamos a Dios personalmente, estamos viviendo la realidad de la Biblia en nuestro contexto actual. El oír la voz de Dios y la lectura, el estudio y la aplicación de la Biblia no son las mismas cosas y no han sido dadas para los mismos fines.

**No creo que se pueda entender verdaderamente lo que Dios está diciendo por su Espíritu, a menos que se entienda lo que Él ha dicho a travésde su palabra.**

## La Biblia es la Voz de Dios

¿Por qué esto es así? Debido a que la Biblia es más que la voz de Dios a los lectores originales. En su singularidad la Biblia permanece como la voz de Dios para nosotros hoy. La Biblia misma reclama su origen en Dios y no meramente en el hombre.

> Tenemos también la palabra profética más segura, a la cual hacéis bien en estar atentos como a una antorcha que alumbra en lugar oscuro, hasta que el día esclarezca y el lucero de la mañana salga en vuestros corazones; entendiendo primero esto, que ninguna profecía de la Escritura es de interpretación privada, porque nunca la profecía fue traída por voluntad humana, sino que los santos hombres de Dios hablaron siendo inspirados por el Espíritu Santo (2 Ped. 1:19-21).

En su carta a algunas iglesias establecidas, el apóstol Pedro hace recordar a la comunidad creyente de muchas verdades maravillosas que son extremadamente importantes para sus vidas. Al mismo tiempo, Pedro comparte su profunda preocupación por la propagación de falsos profetas y las enseñanzas destructivas que han comenzado a afectar a las iglesias en forma muy grave.

Siendo un discípulo directo de Jesús, Pedro fue un testigo de su gloria venidera (Mat. 17:1-13) y el poder de su resurrección (Lucas 24:50-53). Pedro fue capaz de afirmar el cumplimiento de las profecías escritas en el Antiguo Testamento, algunas de las cuales vio acontecer delante de sus ojos. En el pasaje anterior Pedro menciona que ninguna profecía (escritura del Antiguo Testamento) fue producida solamente por hombres. El Espíritu Santo "movió" a los escritores de las Escrituras, de forma similar a un viento que mueve un barco sobre el agua.

Mientras los falsos profetas y las enseñanzas heréticas estaban apareciendo en la iglesia primitiva, Pedro exhortó a las iglesias a "prestar atención" a la voz confiable de Dios en las Escrituras. Este pasaje es uno de los muchos que revelan la inspiración de la Biblia. La Biblia fue inspirada por Dios, y fue el Espíritu Santo que habló estas palabras a los que las escribieron. Pedro se refirió al Antiguo Testamento porque eran las únicas escrituras que tenían. El Apóstol Pablo dijo algo similar a Pedro en su carta a Timoteo.

> Toda Escritura es inspirada divinamente y útil para enseñar, para redargüir, para corregir, para instituir en justicia, 17 Para que el hombre de Dios sea perfecto, enteramente instruido para toda buena obra (2 Tim. 3:16-17).

El término "inspirada por Dios" significa, literalmente, "exhalada por Dios."

Piense en eso por un momento. Toda la Escritura es inspirada por Dios, no solo algunas, sino todas. En otras palabras, lo que hemos puesto en nuestros estantes o descargado en nuestras computadoras es la voz de Dios. Contiene lo Dios quiere que tengamos y lo que Él quiere que sepamos.

La Biblia es infalible, lo que significa que no tiene error en sus escritos originales. El Espíritu de Dios tuvo cuidado en traer las profecías y enseñanzas necesarias, porque estas palabras estaban destinadas a ser palabras eternas de Dios (1 Ped. 1:25). La Biblia es el fundamento para conocer y escuchar la voz de Dios a todas las personas de todas las generaciones.

He mencionado Escrituras que apuntan al Antiguo Testamento como la palabra (voz) de Dios, pero ¿qué pasa con el Nuevo Testamento. ¿Está el Nuevo Testamento en el mismo nivel que el antiguo? La respuesta es simplemente sí. Los escritores del Nuevo Testamento sabían que estaban escribiendo escrituras. Esto lo vemos claramente en muchas de las cartas que el apóstol Pablo escribió y distribuyó a varias iglesias.

Por ejemplo, miremos lo que Pablo escribe a la iglesia de Corinto. "Pero a la casadas instruyo, no yo, sino el Señor: Que la mujer no debe dejar a su marido" (1 Cor. 07:10). Obviamente, el contexto es importante, pero para nuestra conversación, note como Pablo dice claramente "no yo, sino el Señor", como él se comunica con la iglesia. Él deja claro que se trata de la voz de Dios y no la suya. En la carta de Pablo a la iglesia en Tesalónica comparte un lenguaje aún más fuerte en este sentido: "Porque ya sabéis qué instrucciones os dimos por la autoridad del Señor Jesús" (1 Tes. 4: 2). Pablo y otros apóstoles hablaron y escribieron instrucciones a los creyentes del primer siglo que sabían que llevaban un buen caminar con Dios. Después Pablo recuerda a la iglesia de Tesalónica estas instrucciones, miremos lo que le dice a los que rechazan sus palabras (de Dios): "Así que, el que menosprecia, no menosprecia a hombre, sino a Dios, Él cual también nos dio su Espíritu Santo" (1 Tes. 4: 8).

Cuando Dios les habló a los escritores de las Escrituras, se aseguró de que habría un cien por ciento de claridad en su recepción de la revelación, y una precisión del cien por ciento en la escritura de su revelación. Para que la escritura se escriba como la palabra (voz) eterna de Dios, no pudo haber malentendidos o interpretaciones erróneas del asunto. Esto no sugiere que Dios no se preocupe por la claridad con la que le escuchamos hoy en día, pero lo que quiero enfatizar es la soberanía de Dios sobre el proceso de formación de las Escrituras. Dios no permitió que la Biblia esté equivocada, y por tanto, esté en una categoría en la que escuchemos a Dios por cuenta propia. La Biblia es única, y mi deseo es que todo el mundo la honre como tal.

Hoy, cuando tratamos de escuchar la voz de Dios, debemos tener claro algo; no estamos buscando a escribir o reescribir la Biblia. La Biblia ha sido escrita y su propósito es que todas las personas tengan un estándar claro respecto a lo que Dios quiere que sepamos. No cambia ni cambiará durante todas las generaciones. La Biblia contiene verdades inmutables como: quién es Dios, la caída del hombre, el plan de salvación a través de Jesucristo, y la segunda venida de Cristo. El propósito de la Biblia es proporcionar un fundamento inmutable para todos, estableciendo una norma por la cual todo lo que oímos decir a Dios fuera de ella, deba ser juzgado.

**Dios ha establecido su voz a través de su palabra, la Biblia, y él le habla específicamente a las personas dentro de sus propios contextos y generaciones a través de la voz de su Espíritu.**

Mientras que necesitamos entenderla en su contexto, la Biblia es la voz de Dios para nosotros en el que podemos obtener nuestro conocimiento de Dios y su plan. Necesitamos la Biblia. Como David, debemos recordar que la palabra de Dios nos muestra dónde estamos y dónde vamos, y que sin ella, estamos perdidos.

"Tu palabra es una lámpara a mis pues y lumbrera a mi camino." (Sal. 119:105)

## La Armonía de la Voz de Dios

Desde temprano me familiaricé con muchas diferencias teológicas en el cristianismo, incluyendo las relacionadas con escuchar la voz de Dios. Durante la primera semana como cristiano, desperté a la realidad de la voz de Dios sin tener ninguna comprensión en absoluto.

Tuve sueños literales, impresiones fuertes, y otras experiencias interesantes con las que no sabía qué hacer. Compartí estas experiencias con los líderes de la iglesia a la que asistía, y lo que me dijeron de alguna forma, fue que ignorara esas cosas y leyera la Biblia. No sólo estaba ya leyendo la Biblia, sino que también había empezado a tener algunas de las mismas experiencias de las que estaba leyendo, lo que me animaba aún más. Mi entusiasmo me hizo compartir estas experiencias con otras personas a las que no siempre les parecía bien.

Tuve algunas personas que se sentaban conmigo, y me explicaban el por qué las cosas que ocurrían antes, ya no sucedían hoy. ¿Se imaginan esas conversaciones? Sí, lo pueden imaginar. No hace falta decir que estaba muy confundido. Las personas que compartían estas cosas conmigo eran cristianos bien intencionados que amaban a Jesús y la Biblia. No usaban mucho la Biblia, excepto para citar mal un verso aquí y otro allá, para informarme acerca de mi experiencia y punto de vista sobre el escuchar a Dios. Pensé que era extraño que las personas que amaban tanto la Biblia, no la usaran para emitir una fuerte posición acerca de lo que Dios hace y no hace hoy. Mientras ellos trataban de asegurarse de que yo no desarrollara una teología basada en mis experiencias, me preguntaba por qué se desarrollaban su teología basada en la falta de experiencia.

La Biblia es como una casa. El Antiguo Testamento es el fundamento y el Nuevo Testamento es la casa que se construye sobre el fundamento. Cuando escuchamos la voz de Dios a través del Espíritu Santo no es una adición a la casa u otra casa diferente, sino que es algo que entra en la casa como los muebles, las pinturas para poner en la pared, o tal vez un dispositivo especial de luz. De la misma manera, el escuchar a Dios debe obrar en armonía con la Biblia; porque todo lo que Dios dice hoy será congruente con lo que Él ya ha dicho en la Biblia.

La vida del apóstol Pablo demuestra la armonía de la voz de Dios en una manera única. Pablo sabía las escrituras del Antiguo Testamento muy bien, y también sabía las palabras de Jesús a través de la influencia de los otros apóstoles y sus encuentros personales con Jesús (Hechos 9). Cuando Pablo viajaba en sus viajes misioneros, el Espíritu Santo hablaba regularmente con él sobre qué hacer y dónde ir. Una historia que ilustra esto bien se encuentra en el capítulo 16 de Hechos.

> Y atravesando Frigia y la provincia de Galacia, les fue prohibido por el Espíritu Santo hablar la palabra en Asia; y cuando llegaron a Misia, intentaron ir a Bitinia, pero el Espíritu no se lo permitió. Y pasando junto a Misia descendieron a Troas. Y se le mostró a Pablo una visión de noche: un varón macedonio estaba en pie, rogándole y diciendo: Pasa a Macedonia y ayúdanos. Cuando vio la visión, en seguida procuramos partir para Macedonia, dando por cierto que Dios nos llamaba para que les anunciásemos el evangelio. Zarpando, pues, de Troas, vinimos con rumbo directo a Samotracia, y el día siguiente a Neápolis; y de allí a Filipos, que es la primera ciudad de la provincia de Macedonia, y una colonia; y estuvimos en aquella ciudad algunos días. Y un día de reposo[a] salimos fuera de la puerta, junto al río, donde solía hacerse la oración; y sentándonos, hablamos a las mujeres que se habían reunido. (Hechos 16:6-13)

Pablo y sus compañeros eran misioneros itinerantes que estaban difundiendo el evangelio de Jesucristo y haciendo discípulos de ciudad en ciudad. Pablo no necesitaba una palabra profética para hacer lo que estaba haciendo en difundir la palabra. Él conocía el plan general y la voluntad de Dios de lo que Jesús enseñó acerca de la predicación del evangelio y hacer discípulos (Mat. 28: 18-20). Mientras que Pablo estaba tratando de entrar en Bitinia, menciona que "el Espíritu de Jesús no se lo permitió" (Hechos 16: 7).

Si Pablo hubiera tenido solamente la Biblia como medio para saber lo que Dios le estaba diciendo, ¿cómo iba a saber que no debía entrar en una determinada región? ¡Él no podría! Es por eso que el Espíritu Santo habló con él sobre qué hacer en esa situación. Aplica este escenario a tu propia vida. La Biblia dice que debemos predicar el evangelio a toda criatura, y hacer discípulos de todas las naciones (Marcos 16:15, Mateo 28:19).

¿Cómo podríamos saber cuándo permanecer en un área o pasar a otra, si sólo tenemos la Biblia como la voz de Dios?

Además de estos pensamientos, considere lo que Pablo le dijo a la iglesia de Tesalónica en cuanto a si resistencia de ir a verlos.

> Pero nosotros, hermanos, separados de vosotros por un poco de tiempo, de vista pero no de corazón, tanto más procuramos con mucho deseo ver vuestro rostro; por lo cual quisimos ir a vosotros, yo Pablo ciertamente una y otra vez; pero Satanás nos estorbó. (1 Tes. 2:17-18).

Satanás obstaculizó a Pablo de entrar en la ciudad de Tesalónica. En nuestro versículo anterior leímos cómo el Espíritu Santo no permitió a Pablo ir a Bitinia (Hechos 16). Si Pablo creía que Dios sólo hablaba a través de la Biblia entonces, ¿cómo iba a saber a dónde ir o incluso si se le obstaculizaba la entrada de una ciudad? Si él no creía que Dios hablaba por su Espíritu, ¿Pablo habría asumido que la resistencia a entrar en Bitinia era de Satanás? Seriamente hablando, ¿cómo lo iba a saber?

Me doy cuenta de que Pablo tenía un llamado especial al ser apóstol y plantar el evangelio en el primer siglo, pero ¿por qué creemos que es diferente para nosotros hoy? No podemos decir simplemente: "Tenemos la Biblia completa y ellos no!" El problema de saber a dónde ir todavía existe, no importa cuántas Biblias tengamos. Sí, la Biblia nos dice qué hacer, pero el Espíritu nos dice a dónde ir y cómo aplicar lo que estamos haciendo en nuestro contexto específico.

La armonía de la voz de Dios; que viene tanto a través de la Biblia como a través de su Espíritu, es hermosa y me apena que muchos confundan este asunto. A lo largo de las Escrituras podemos ver claramente cómo el pueblo de Dios comprendió la importancia de la Biblia y la voz presente de Dios y, yo puedo afirmar que necesitamos la misma perspectiva hoy.

Imagine una orquesta filarmónica con sesenta y seis instrumentos tocando una canción clásica con tal belleza y perfección que parece que no podría ser mejor. Entonces, para la siguiente canción, ellos traen veinte personas más con cuatro instrumentos adicionales. La única razón por la que se traen más instrumentos es para mejorar la canción a través de otros sonidos que funcionen en armonía con lo que ya tienen. ¿Se imagina uno de esos instrumentos tocando una canción diferente o fuera de tono? ¿En qué periodo de tiempo quedaría despedido este músico de la orquesta? Digamos que podría ser el final para la carrera de dicho músico de orquesta. Sin armonía de instrumentos adicionales, se arruina toda la canción y hace que la orquesta suene terrible. Como personas que oyen de Dios, debemos asegurarnos de que lo que oímos armoniza con lo que Dios ya ha dicho en las Escrituras. Cuando hacemos eso, nuestras vidas son un hermoso sonido para Dios y para los que nos rodean.

## El Mismo Autor

¿Le han dicho alguna vez: "Si quieres escuchar la voz de Dios solo abra la Biblia y Él le hablará?" He oído esta declaración bastante, y antes de pasar un tiempo significativo con la Biblia no tuve ningún problema en estar de acuerdo con eso. Ahora, veo las cosas de manera diferente a la idea de lo que esa declaración transmite. Como ustedes saben, yo creo que la Biblia es la Palabra eterna de Dios. De todo corazón digo "Amén" a esa realidad. Sin embargo, ¿conocer el propósito y el lugar de la Biblia equivale a escuchar la voz de Dios cada vez que la leemos? Antes de decir que sí, vamos a pensar en esto por un momento.

En un día de reposo concreto, Jesús fue a Jerusalén para una de las fiestas. Cuando llegó, pasó por una pequeña piscina donde muchos enfermos se habían reunido. Jesús tuvo un encuentro específico con un hombre que había estado enfermo durante treinta y ocho años, pero a través del poder de Dios, Jesús sanó al hombre de su enfermedad. Esta curación causó un alboroto entre los líderes judíos, supuestamente debido a que Jesús sanó a este hombre en sábado, que era prohibido por su interpretación de la Ley (Antiguo Testamento). Luego de eso, Jesús participó en algunos agresivos debates con los líderes religiosos donde finalmente puso en tela de juicio su relación con Dios y su verdadero conocimiento de las Escrituras.

> También el Padre que me envió ha dado testimonio de mí.
> Nunca habéis oído su voz, ni habéis visto su aspecto, ni tenéis su
> palabra morando en vosotros; porque a quien Él envió, vosotros
> no creéis (Juan 5:37-38).

Al leer este pasaje necesitamos entender que la gente que Jesús reprendió era considerada como eruditos de la Biblia.

Tenga en cuenta que se dirige a ellos diciendo, "Nunca habéis oído su voz " (Juan 5:37) y "ni tenéis su palabra morando en vosotros" (Juan 05:38). Pero ellos conocían la Biblia, ¿no es así? ¿Es posible el leer y memorizar la Biblia y aun así no escuchar a Dios? ¡Totalmente! ¿Por qué? Cuando usted lee palabras e interpreta su significado aparte del autor, terminará con una comprensión incorrecta. Claramente, Jesús no les estaba diciendo si habían leído la Biblia o no; él les estaba diciendo que sea que el autor de la Biblia estuviera presente en su comprensión o no, eso era lo que haría la diferencia. Jesús continúa diciendo:

> Escudriñad las Escrituras; porque a vosotros os parece que en
> ellas tenéis la vida eterna; y ellas son las que dan testimonio de mí;
> y no queréis venir a mí para que tengáis vida. (Juan 5:39-40).

El propósito de la Biblia es para conducirnos al Autor-Dios. Estos hombres que pasaban la mayor parte de su vida estudiando las Escrituras habían perdido algo enorme: su conexión con el autor.

El Espíritu Santo no solo hizo las Escrituras que se escribieron, sino también es el que las hace entender. Sin Dios dándonos revelación sobre lo que significa la Biblia, todo nuestro estudio, interpretaciones y opiniones sobre la Biblia no tienen ningún valor. Permítanme decirlo de nuevo; ¡no tienen valor!

La Biblia es más que un libro de texto para ser estudiado en un aula. Contiene palabras espirituales de vida que tienen poder espiritual porque nacen del Espíritu Santo. Si bien en la tierra, Jesús dijo regularmente cosas a la gente que ellos no entendieron. ¿Por qué lo hizo? Él explicó el por qué cuando dijo: "El Espíritu es el que da vida; la carne para nada aprovecha; las palabras que yo os he hablado son espíritu y son vida "(Juan 6:63). El comprender y obedecer lo que Jesús dijo y lo que toda la Biblia enseña, no es posible sin el don de revelación de Dios para nosotros. En otras palabras, la lectura de la Biblia no es suficiente; también necesita que Dios se comunique con usted a medida que lee la Biblia. Si la Biblia sirve para llevar cualquier peso real de la forma en que vivimos nuestras vidas, nosotros también necesitamos a Dios para que se comunique personalmente con nosotros sobre lo que leemos.

Siendo una persona que estudia la Biblia todos los días, he leído algunos versículos cientos de veces antes de realmente entenderlos. ¿Eso es porque de alguna manera me hice más inteligente con los años o fue que un día el Espíritu Santo me iluminó un pasaje y trajo la revelación a mi corazón? Lo que estoy tratando de decir es que todo el tema de oír hablar a Dios se conecta directamente con la lectura de la Biblia. El mismo que escribió la Biblia y revela el su significado, es el mismo que habla a mi corazón con respecto a cómo, cuándo y dónde aplicar la Biblia. No es suficiente simplemente oír hablar a Dios aparte de la Biblia, pero tampoco es suficiente leer la Biblia sin oír hablar a Dios palabras de revelación y dirección. Escuchar a Dios con éxito requiere que aprendamos a armonizar la lectura de su palabra con el escuchar su voz.

## Capítulo 3 – Preguntas de Repaso

1. ¿Cuál es la diferencia entre el leer las escrituras y escuchar la voz de Dios personalmente? ¿Qué voz tiene más autoridad y por qué?

2. ¿ De qué manera la combinación de conocer la Biblia y escuchar la voz de Dios le ayuda a usted a saber lo que Dios está diciendo? ¿Podría dar ejemplos claros?

3. ¿Alguna vez ha sido enseñado que Dios sólo habla a través de la Biblia? ¿Te parece que es una idea bíblica? ¿Por qué o por qué no?

4. ¿Por qué es importante conocer los diferentes propósitos para la Biblia y el escuchar a Dios personalmente?

5. ¿Qué le animó más de este capítulo y cómo lo aplicará a su vida?

# PARTE II

## LA VOZ DE DIOS: ENTENDIENDO LO QUE ES Y LO QUE NO ES

# CAPÍTULO 4
# ENTENDIENDO COMO DIOS HABLA

Una de las cosas más comunes que le escucho a la gente decir es: "¡Yo no escucho la voz de Dios!" Como usted puede decir, no creo que en realidad sea ese el caso, pero creo que es un síntoma de algo mucho más grande que tenemos que explorar. Creo que Dios le habla a todo el mundo, pero eso no significa que todo el mundo va a discernir cuándo o cómo Dios está tratando de comunicarse con ellos. Lo que realmente queremos decir cuando decimos "no oigo a Dios" es, probablemente, o mejor dicho, "no oigo a Dios con claridad," o, "Dios no me habla de la forma en que otros afirman que lo escuchan." Por lo tanto, saber cómo Dios se comunica con las personas es esencial para oírlo y no perder lo que podría estar justo delante de nosotros. En la Biblia, Dios le habló a la gente de maneras muy diferentes, algunas de los cuales incluso pueden parecer extrañas para nosotros. A menudo me gustaría que Dios me hable claramente, pero esa no ha sido mi experiencia.

¿Y usted? ¿Alguna vez ha anhelado claridad con respecto a la voz de Dios en su vida? ¿No sería fantástico si pudiéramos marcar el 1-800-CIELO, hacer nuestras preguntas, y recibir una respuesta clara en unos instantes? ¡Creo que sería increíble! No sólo es que ese no es el caso, sino que no se supone que sea así.

La primera semana de convertirme en cristiano, recuerdo haber tenido sueños vívidos y detallados que parecían increíblemente reales cuando me desperté. Después del tercer sueño supe que algo estaba pasando, que no podía ser producto de mi imaginación o alguna mala pizza que había comido la noche anterior. Empecé a hablar de estos sueños a otros cristianos que esencialmente no sabían qué no cosa decirme sino: "Bueno, sólo sigue leyendo la Biblia." Así que lo hice. Leí la Biblia tanto como pude. Pero, ¿adivinan que fue lo que descubrí mientras más leía la Biblia? Descubrí que Dios le habló a la gente de muy diferentes maneras, incluso a través de los sueños. La combinación del estudio de las Escrituras y la experiencia personal me han ayudado a entender que la voz de Dios no es siempre una voz real, audible. Si tuviera que decir "Dios me habló" a alguien, a menos que ellos sepan los principios que estoy compartiendo en este libro (o libros como este), probablemente pensarían que Dios me habló audiblemente, y específicamente en mi propio idioma. Sin embargo, esto sería lo más alejado de lo que realmente ocurrió cuando escuché la voz de Dios. Es por esto que tenemos que entender no sólo las diferentes maneras en que Dios se comunica, sino aprender a compartir con los demás como Dios nos habla, debido a que esto les ayudará a medida que aprenden a escuchar a Dios por sí mismos.

Vivimos en un mundo en que la gente utiliza múltiples formas de comunicación con regularidad. Yo estaba en el banco el otro día y fui al cajero automático para hacer un depósito con mi tarjeta de débito. Mientras estaba haciendo mi transacción noté que había caracteres Braille debajo de cada número del cajero automático. Ahora no tengo ni idea de por qué tendrían Braille en un cajero automático, pero esto ejemplifica una forma de comunicación que pasa por debajo de nuestras narices todos los días. Varias personas de nuestra iglesia dominan el lenguaje de señas y son capaces de comunicarse con aquellos que no pueden hablar con un lenguaje verbal. Además, hoy he usado mi teléfono para enviar mensajes de texto y mi computadora para escribir correos electrónicos que se enviaron al ciberespacio o al espacio radioeléctrico, llegando de alguna manera al destino que he previsto con tanta claridad como los envié. Estas son sólo algunas de las muchas maneras que nos comunicamos unos con otros todos los días, por eso es más fácil de entender que Dios ha escogido múltiples formas de comunicación para llamar nuestra atención, para enseñarnos algo, proveer dirección, o simplemente decirnos lo mucho que nos ama.

El punto es que Dios no siempre utiliza su voz audible o nuestra lengua materna cuando habla con nosotros.

Mientras vemos las diferentes maneras en que Dios nos habla, quiero que sepa que estas no son las únicas maneras, pero he descubierto son las más comunes tanto en mi experiencia como en las escrituras. Mientras que muchas de las escrituras a las que me refiero no dicen específicamente, "Este es la manera cómo Dios le hablará a usted," estas representan interacciones específicas que Dios tuvo con otros que deberían resultarnos útiles para nosotros si y cuando Dios nos habla a nosotros de la misma manera.

## La Biblia

Como ustedes saben, he dedicado todo un capítulo de este libro al rol de escuchar a Dios en la Biblia, así que no voy a repetir lo que ya hemos discutido. Pero a medida que avanzamos a través de las diversas formas de comunicación tengo que decir con claridad extrema que lo haré siempre mostrando que la manera principal con la

**La Biblia es siempre el primer lugar donde vamos a escuchar a Dios y es el primer lugar al que vamos a discernir lo que creemos que el Espíritu Santo podría estar diciéndonos personalmente.**

que oímos y discernimos lavoz de Dios empieza y termina con la Biblia.

Creo que la Biblia es verdadera, cada palabra de ella.

La Biblia es infalible y contiene la voluntad general, inalterable para cada creyente de cualquier generación. Considere esta verdad al tratar de escuchar mejor a Dios en su vida. Con esto en mente, los animo a considerar que prioricen la Biblia en su vida diaria; verdaderamente hará la diferencia.

El apóstol Pablo le escribió dos cartas a Timoteo, su hijo en la fe. Las verdades contenidas en su segunda carta, escrita hacia el final de su vida, son en muchos aspectos las cosas finales que Pablo quería decir, como algo extremadamente importante. Pablo quería que Timoteo entendiera que la Biblia es "inspirada" o más literalmente, "exhalada por Dios", y que los libros que figuran en ella tienen verdadero poder de transformar vidas. El apóstol Pedro también escribió igual a sus lectores, que la Escritura no es de la voluntad humana, sino que es "inspirado" por el Espíritu de Dios.

> Toda la Escritura es inspirada por Dios, y útil para enseñar, para redargüir, para corregir, para instruir en justicia, a fin de que el hombre de Dios sea perfecto, enteramente preparado para toda buena obra (2 Tim. 3:16-17).

> Entendiendo primero esto, que ninguna profecía de la Escritura es de interpretación privada, porque nunca la profecía fue traída por voluntad humana, sino que los santos hombres de Dios hablaron siendo inspirados por el Espíritu Santo (2 Pedro 1: 20-21).

Como la Biblia es la voz principal de Dios en nuestras vidas, es útil saber cómo Dios nos habla a través de ella. En general, hay dos maneras en que se oye hablar a Dios en relación con la Biblia. La primera es que Dios va a hablar con usted a través de la Biblia cuando la estudia. ¿Alguna vez ha experimentado un momento en que un versículo salta de la página y le habla a usted de una manera muy personal? Estoy seguro que si. Aunque esto no me pasa de mí cada vez que leo la Biblia, ciertamente recuerdo los tiempos que sucedió. Hace poco estaba leyendo el libro de Santiago y me pasó esto. En Santiago 1: 5 dice: "Y si alguno de vosotros tiene falta de sabiduría, pídala a Dios, el cual da a todos abundantemente y sin reproche, y le será dada." La palabra "abundantemente" saltó de la página y me hizo pensar más profundamente acerca de lo generoso que es Dios en verdad.

## Si mi opinión de Dios muestra mi interacción con él, entonces ¿qué importante es para mí verlo como un Padre generoso?

Personalmente, leo la Biblia todos los días y mientras lo hago escribo en un diario las diversas cosas que creo que Dios me habla. Si queremos escuchar de Dios, debemos leer la Biblia de manera regular. Debe ser una prioridad.

La segunda forma en que Dios usará la Biblia para hablarnos es recordándonos diferentes versículos en nuestra vida cotidiana o circunstancias específicas. Puedo recordar temprano en mi vida cristiana, que compartía regularmente mi testimonio con gente en la cafetería que estaba al final de la calle donde vivía. Una tarde estaba tomando un café y me encontré con una vieja amiga, que no estaba al tanto de mi reciente transformación en Cristo. Compartí con ella mi testimonio y empezó a hacerme unas preguntas de la Biblia para las cuales yo no tenía muchas buenas respuestas. Ella tenía muchas preguntas, pero yo no conocía la Biblia lo suficientemente bien, y mi experiencia con Dios era más o menos contenida en mi testimonio, lo que no parecía suficiente para convencerla a creer.

Caminamos afuera todavía inmersos en la conversación, y mientras la escuchaba mi mente comenzó a llenarse con versículos de la Biblia que yo acababa de leer esa semana. Era como si el Espíritu Santo hiciera que varios capítulos del libro de Juan se hiciera accesibles para mí en ese momento para poderle contestar muchas de las preguntas que me estaba haciendo. Este fue un verdadero hecho sobrenatural. Aunque esa mujer no se convirtió en cristiana esa noche, ella le dio su vida a Jesús tan sólo unos meses después.

Los momentos antes de la traición de Jesús, él compartió muchas cosas importantes con sus discípulos. En lugar de esperar que recordaran todo, les hizo saber que el Espíritu Santo les recordaría lo que estaba diciendo.

> Os he dicho estas cosas estando con vosotros. Mas el Consolador, el Espíritu Santo, a quien el Padre enviará en mi nombre, Él os enseñará todas las cosas, y os recordará todo lo que yo os he dicho. (Juan 14:25-26)

El Espíritu Santo toma lo que hemos leído (y que a veces no hemos leído) de la Biblia y nos lo recuerda en los momentos en que realmente lo necesitamos.

## Impresiones

Una impresión es una sensación interna en la que se siente, se piensa o se sabe algo respecto a una persona o una situación. Una definición técnica, básica de la palabra impresión puede referirse a un punto o marca producida por presión externa. Creo que esta definición natural puede ayudarnos a entender cómo funcionan las impresiones cuando Dios nos está hablando así. Una buena ilustración de esto podría ser una huella en la nieve. ¿Recuerda haber estado fuera durante

**Si vamos a entender lo que Dios está diciendo por su Espíritu, primero debemos entender lo que Dios ha dicho en la Biblia.**

una tormenta de nieve y ver la impresión de su pie a cada paso que daba? Si está fuera el tiempo suficiente, se dará cuenta de que su huella se cubre de nuevo con nieve en cuestión de minutos. A eso se parecen las impresiones. El Espíritu de Dios va a impresionar algo en su interior que quiere que actúe, ore sobre, o comparta con otra persona para su beneficio. En mi experiencia, si no haces algo con esa impresión inicialmente, es muy probable que se olvide incluso que pasó, al igual que la huella es cubierta con la nieve.

No hay referencias directas a la palabra "impresión" en la Biblia, sobre todo porque esta palabra pretende describir diversas experiencias que parecen ser comunes a muchos. Un ejemplo de una impresión en la Biblia se encuentra en Hechos capítulo 27. El apóstol Pablo había sido encarcelado durante algún tiempo y en el proceso apeló para ser juzgado ante César. Poco después de hacer su apelación, Pablo fue enviado a Roma en un barco para ser juzgado por lo que estaba siendo acusado. Durante la travesía el barco comenzó a experimentar algunos problemas en el mar y el Señor le dio a Pablo una impresión de lo que iba a suceder.

> Y habiendo pasado mucho tiempo, y siendo ya peligrosa la navegación, por haber pasado ya el ayuno, Pablo les amonestaba, diciéndoles: Varones, veo que la navegación va a ser con perjuicio y mucha pérdida, no sólo del cargamento y de la nave, sino también de nuestras personas. Pero el centurión daba más crédito al piloto y al patrón de la nave, que a lo que Pablo decía. (Hechos 27:9-11).

Estas impresiones a menudo puede parecer una corazonada, que es muy fácil pasar por alto. Cuanto más hacemos lo que pensamos que Dios está diciéndonos, más fácil será para nosotros determinar la exactitud de las impresiones del Espíritu Santo. Es actuando sobre las impresiones que empezamos a entender cómo funcionan. A veces tengo una fuerte sensación que tengo que hablar o llamar a alguien que acabo de ver o en la que estaba pensando. Estas son las clases de impresiones más comunes en mi vida. Independientemente de cómo o cuando vienen, cultivar nuestra sensibilidad al Espíritu Santo nos ayudará a seguir las sutilezas de las impresiones que Dios nos da.

### Nuestros Pensamientos

Otra manera importante en la que Dios nos habla es a través de nuestros pensamientos. Me parece que esto es muy común para mí y para muchos otros. Por lo general, voy conduciendo por la carretera y un pensamiento estalla en mi mente: "¿Cómo está Juan?" Esto va a sonar muy parecido a mi voz, y al principio normalmente creo que es sólo un pensamiento al azar sobre una persona que no he visto por un tiempo. Si decido llamar a Juan, más veces de las que no, mi llamada fue oportuna y muy alentadora mientras hablamos y oramos por algo que le estaba pasando.

Dios se preocupa por todo en nuestras vidas, incluso las pequeñas cosas. No puedo decirle cuántas veces he perdido o extraviado las llaves, las herramientas importantes o el teléfono, y comienzo a orar frenéticamente mientras pongo la casa de cabeza. No mucho tiempo después de orar: "Dios, por favor, muéstrame donde están mis llaves," ¿Adivinen que sucede? ¡Así es! Un pensamiento estalla en mi mente que me revela el lugar donde deje mis llaves u objeto perdido.

La Biblia tiene que decir mucho acerca de nuestras

**Dios habla en nuestros pensamientos mucho más de lo que nos damos cuenta y mientras aprendemos a pedirle estos pensamientos y recordatorios, Él nos las dará en maneras muy prácticas.**

mentes, en 1 Corintios 2:16, el Apóstol Pablo dice que "tenemos la mente de Cristo." Dicho de otro modo, si somos nacidos del Espíritu, somos nacidos para pensar de la forma que Jesús lo hacía; entonces deberíamos creer que habrá un flujo constante de pensamientos de Dios fluyendo a través de nuestras mentes. Esto no quiere decir que todo lo que pensamos que es de Dios, pero significa que Dios tiene acceso permanente a nuestras mentes y nos hablará en nuestros pensamientos más regularmente de lo que podríamos imaginar. Por supuesto, esto nos lleva a una conclusión muy importante: no todo pensamiento que le viene a la mente se origina en usted. La mayoría de nuestros pensamientos son el resultado de un cerebro que funcione correctamente saludable, mientras que otros pensamientos son del Señor y algunos posiblemente del reino demoníaco. No quiero darle demasiado crédito al diablo ya que todos todavía tenemos nuestra propia carne con la que lidiamos (Gal. 5:17).

Sin embargo, nos encontraremos con pensamientos demoníacos de vez en cuando y la necesidad de ser capaces de discernir la diferencia entre esos pensamientos, los nuestros y los del Señor. Aprender a discernir esto nos ayudará a medida que tratamos de recibir del Señor en nuestra vida diaria.

Hay varias escrituras que hacen referencia a "los pensamientos de Dios" dentro de ciertos contextos. En los Salmos, por ejemplo, el rey David habla de los pensamientos de Dios hacia nosotros:

> Has aumentado, oh Jehová Dios mío, tus maravillas; y tus pensamientos para nosotros, No es posible contarlos ante ti. Si yo anunciare y hablare de ellos, No pueden ser enumerados (Sal. 40:5).

Mientras buscamos escuchar a Dios, una cosa que podríamos pedirle, especialmente mientras oramos por otros, es preguntarle al Señor lo que él piensa de esa persona: "Señor, ¿cuáles son tus pensamientos acerca de esta persona?" Si Dios tiene un millón pensamientos increíbles por cada uno de nosotros, debemos pedirle que comparta sus pensamientos con nosotros con el fin de animarnos unos a otros. Mientras le da la bienvenida y recibe los pensamientos de Dios, tanto para usted y para los demás, su mente comenzará a reflejar la misma mente de Cristo.

## Visiones

Podemos definir una visión como "una mirada espiritual dada por el Espíritu Santo que está destinada a revelar el corazón de Dios sobre algo o alguien, incluyendo a uno mismo." La Biblia da muchas referencias de visiones, tanto en el Antiguo y el Nuevo Testamento. Las visiones pueden ser literales, en las que lo que se describe algo que ha sucedido o sucederá (Hechos 16: 9-10). También pueden ser simbólicas, que requieren de una interpretación del Espíritu Santo a fin de comprender el mensaje (Hechos 10: 9-16).

Cuando era un cristiano joven, un amigo mío me invitó a asistir a un servicio a mitad de semana con él en su iglesia. Llegamos al servicio de la iglesia un poco tarde y entramos en silencio en el santuario durante el culto. Yo nunca había estado en esa iglesia antes, pero mi amigo me dijo que la iglesia era increíble y que me gustaría mucho el pastor. Desde la última fila del santuario nos unimos a los demás cantando canciones de adoración conocidas. Conocía bien las canciones como para cerrar mis ojos mientras adoraba a Jesús, pero cuando los abrí algo realmente loco sucedió. Con mis propios ojos, literalmente, podía ver el humo en todo el santuario. En ese momento yo no entendía las visiones, por lo que no se me ocurrió que estaba teniendo una en ese momento. Abrí y cerré los ojos por lo menos tres veces para asegurarme que estaba realmente viendo el humo, sin embargo, cada vez que abría mis ojos el humo todavía estaba allí. Esto duró aproximadamente un minuto hasta que finalmente le di un codazo a mi amigo y le dije: "¿Ves eso?" Él me respondió: "¿Mirar qué?" Mirándolo mientras señalaba el aire, le dije: "¡Mira el humo!" Me miró como si yo estuviera loco, lo que sólo reafirmó lo que yo sentía, y a los pocos minutos la experiencia terminó y me quedé pensando qué había sucedido.

Esta fue mi introducción al lenguaje de imágenes llamado visiones de Dios. Hasta ese momento nunca había pensado, leído, o escuchado un sermón sobre visiones de Dios. Las muchas preguntas que siguieron a mi experiencia me llevaron a las Escrituras, que tenían mucho más que decir acerca de las visiones de lo que había imaginado. En primer ugar, con la venida del Espíritu Santo en el libro de los Hechos, el Apóstol Pedro citó a Joel:

> "Y en los postreros días, dice Dios, derramaré de mi Espíritu sobre toda carne, y vuestros hijos y vuestras hijas profetizarán; vuestros jóvenes verán visiones, vuestros ancianos soñarán sueños; y de cierto sobre mis siervos y sobre mis siervas en aquellos días derramaré de mi Espíritu, y profetizarán." (Hechos 2:17-18)

Si bien el concepto de tener una visión no era nuevo para la gente a la que el apóstol Pedro se dirigía, ellos creían que las únicas personas que recibieron el derramamiento del Espíritu Santo (tanto visiones y sueños) fueron los profetas, los sacerdotes y los reyes, de acuerdo con los ejemplos en el Antiguo Testamento. Así que, al citar a Joel, Pedro estaba explicándoles que el Espíritu es derramado sobre toda clase de personas, que estaban siendo testigos, pero que no entendieron al principio. Debido a esto, sería algo más normal que la misma gente tuviera los mismos tipos de visiones y sueños del Señor, inspirados por su Espíritu. ¡Algo realmente increíble!

Cuando vi el humo llenar el santuario de la iglesia de mi amigo, no encontré ningún mensaje literal en esto, así que miré en la Biblia para buscar experiencias similares. En 1 Reyes 8, el rey Salomón estaba dedicando el templo que Israel había construido para el Señor y de repente el templo se llenó de una nube en medio de la cual los sacerdotes no podían permanecer parados. Además, en Isaías 6, el profeta tuvo una visión del Señor en su templo, y "el templo se llenó de humo" (Is. 6: 4). Después de buscar varias referencias acerca del humo e incluso de las nubes en las Escrituras, descubrí que esto simplemente podía representar la presencia del Señor. Para mí, el haberme encontrado con la presencia del Señor de tal manera en esa iglesia, me indicó de alguna forma que Dios quería que haga a esta iglesia mi hogar, y así lo hice.

La última cosa que necesitamos discutir acerca de las visiones es que hay dos maneras en que usted normalmente las recibe. La primera es internamente. Por lo general, durante la oración, tal vez incluso con los ojos cerrados, podrá ver una colección de fotos o algo así como un clip de película en su mente. Esto es la forma que normalmente recibo visiones, lo cual tiene sentido si tenemos en cuenta que el Espíritu Santo vive dentro de uno. La segunda manera que puede recibir una visión es externa, o más comúnmente conocida como una visión abierta, que ocurre cuando Dios abre sus ojos físicos para ver las cosas en el campo espiritual. Tuve una visión abierta cuando vi el humo que llenó el edificio de la iglesia de mi amigo. Un ejemplo clásico de una visión abierta se encuentra en 2 Reyes 6 cuando Eliseo le pide a Dios que abra los ojos de su siervo para que vea los ejércitos angelicales en el campo espiritual. Cuando recibo una visión suele impactarme de una manera mayor que cuando Dios me habla de otras maneras. Sabiendo esto, creo que Dios me da visiones en momentos en los que realmente necesita que esté seguro de algo. Es cierto que una imagen vale más que mil palabras, y realmente aprecio cómo las visiones transmiten la mente y el corazón de Dios de una manera tan poderosa.

## Sueños

Si hace una búsqueda rápida de libros sobre sueños en Internet utilizando un buscador conocido, usted descubrirá rápidamente los cientos, si es que no son miles de libros dedicados a ayudar a la gente entender lo que sucede cuando están dormidos. La mayoría de estos libros no consideran ni a Dios ni a la Biblia cuando trata de enseñar acerca de los sueños. Para ser honesto, no estoy familiarizado con los libros que proporcionan enfoques variados para la comprensión de los sueños, no estoy ni siquiera cerca de comprender todo lo relacionado con los sueños, siendo un seguidor de Jesús. Mi punto de vista sobre los sueños se extiende sólo a mi propia experiencia combinada con lo que he encontrado en las Escrituras. De todos modos, quiero mencionar que la mayoría de la gente pasa cerca de un tercio de toda su vida soñando.

Piense en eso por un segundo. Dios nos ha diseñado, al menos en este cuerpo, para desconectarnos un tercio de cada día para que así nuestros cuerpos descansen y se repongan. A través de varios ejemplos

# Ambos, las visiones y los sueños pueden ser literales o simbólicos, es decir, la interpretación puede ser necesaria para entender el mensaje dado.

de las Escrituras y la experiencia, Dios parece decidido a utilizar ese tiempo para comunicarse con nosotros. Los sueños son muy similares a las visiones, excepto, porsupuesto, que usted está dormido en lugar de despierto. Me encuentro con mucha gente que tiene sueños regularmente, pero que luchan para entender si son de Dios, o si sólo se deben considerar una parte normal del ciclo del sueño. También me encuentro con personas que nunca tienen sueños, así que cuando lo hacen, se los toman mucho más en serio, sabiendo que puede ser Dios. Yo caigo en la segunda categoría. Muy a menudo cuando aquellos de nosotros que no recordamos nuestros sueños nos despertamos con un sueño vívido, es más fácil considerar que Dios puede estar hablando.

En mi vida he experimentado sólo un puñado de sueños significativos, dados por Dios. Puede que hubieran otros, pero son los únicos que estoy seguro que, sin duda, han venido de Dios. Al comienzo del 2004 yo era un líder de jóvenes de una pequeña iglesia en Kirkland, Washington. Una noche tuve un sueño en el que estaba sentado en la parte posterior de una iglesia de tamaño medio durante un servicio por la tarde. La adoración había terminado y uno de los pastores se puso de pie y comenzó a compartir los anuncios. Cuando terminó empezó a introducir al orador invitado para esa noche, y también mencionó que el orador era un miembro nuevo del personal de la iglesia. Cuando empezó a describir por el altavoz me di cuenta de que en realidad ¡estaba hablando de mí! Miré a mi regazo y allí estaba mi Biblia con algunas notas hacinadas entre las páginas centrales. En el shock de lo que estaba sucediendo, me acerqué a la parte delantera de la iglesia, puse mi Biblia y las notas en el podio, y aclaré la garganta. Cuando comencé a hablar, todo lo que pude decir fue: "Dios te ama y quiere que pases tiempo con Él. Esto es lo que quiere." Después de la tercera vez de repetir esto, sentí la fuerte presencia del Espíritu Santo y la gente por todos lados empezó a llorar y a arrepentirse con un amor sincero por Dios. ¡Fue glorioso!

Apenas unos meses después de este sueño, nuestra iglesia en Kirkland decidió cerrar sus puertas y dispersarse en otras iglesias. Mi esposa y yo tratamos de asistir a otras iglesias, pero no podía dejar de lado el sueño que había recibido. Después de unos meses nos instalamos en la iglesia que estaba en mi sueño y seguí una carrera en bienes raíces para proveer para mi familia. Comenzamos sirviendo en la iglesia, pero mi trabajo requería la mayor parte de mi tiempo, así que casi olvidamos el sueño por completo.

Aproximadamente siete años después, el pastor comenzó a preguntarme si yo consideraría una posición pastoral en la iglesia. Inicialmente, tenía dudas porque me gustaba mi trabajo e incluso había empezado un ministerio de discipulado paralelo, Ignite Global Ministries. Sin embargo, después de orar con mi esposa y teniendo en cuenta el sueño que me fue dado, acepté la posición y he estado disfrutando el viaje desde entonces. Lo impresionante

> **En primer lugar, los sueños a menudo pueden ser direccionales, en los que Dios te muestre donde quiere que vayas o lo que puede querer que usted haga.**

sobre el cumplimiento de este sueño es que, en el momento adecuado, entendí lo que el Señor estaba tratando de decirme. Él estaba compartiendo conmigo que fui llamado a animar a la iglesia en un caminar más cerca de Jesús, y creo que ha sido bastante cierto de mi ministerio.

Hay algunos temas clave en las Escrituras que nos ayudarán cuando Dios nos habla a través de los sueños. Los sueños direccionales caracterizan la mayoría de los sueños que recibo de Dios. Poco después del nacimiento de Jesús, Dios le dio a José un sueño para decirle dónde ir para que Jesús estuviera protegido del rey Herodes.

> Después que partieron ellos, he aquí un ángel del Señor apareció en sueños a José y dijo: Levántate y toma al niño y a su madre, y huye a Egipto, y permanece allá hasta que yo te diga; porque acontecerá que Herodes buscará al niño para matarlo. Y él, despertando, tomó de noche al niño y a su madre, y se fue a Egipto, y estuvo allá hasta la muerte de Herodes; para que se cumpliese lo que dijo el Señor por medio del profeta, cuando dijo: De Egipto llamé a mi Hijo. (Mat. 2:13-15)

Esta no fue la primera vez que Dios le habló a José en un sueño, lo que puede ser digno de mención es que Dios puede establecer un patrón de los sueños direccionales, siempre y cuando Él decida hablar con usted de esta manera.

En segundo lugar, en las Escrituras los sueños a veces son correccionales. Un sueño correccional está destinado a evitar que continúe en una dirección determinada o en el pecado que le está haciendo daño a su relación con Dios, y, posiblemente, a otros a su alrededor. En Job encontramos una interesante mirada acerca de los sueños correccionales:

> Sin embargo, en una o en dos maneras habla Dios; pero el hombre no entiende. Por sueño, en visión nocturna, cuando el sueño cae sobre los hombres, cuando se adormecen sobre el lecho, entonces revela al oído de los hombres, y les señala su consejo, para quitar al hombre de su obra, y apartar del varón la soberbia. Detendrá su alma del sepulcro, y su vida de que perezca a espada (Job 33: 14-18).

Este pasaje revela cómo Dios puede usar los sueños para impartir instrucción, para convertirnos de nuestras decisiones actuales, y guardarnos de orgullo, para rescatarnos de la destrucción. Si otros medios de comunicación con nosotros no están funcionando, Dios puede usar los sueños para llevar a cabo la corrección. He recibido corrección clara del Señor en sueños unas cuantas veces. La corrección es una parte importante de nuestro desarrollo como hijos de Dios, y es necesaria para que permanezcamos en el camino correcto al andar con Dios.

En tercer lugar, podemos experimentar sueños proféticos, en los que Dios nos muestra algo que va a suceder en el futuro para nosotros mismos o alguien más. Hay una serie de ejemplos en las Escrituras de los sueños proféticos, específicamente en el Antiguo Testamento con gente como Daniel y José. Por ejemplo, en Génesis 37, José de 17 años de edad, tuvo dos sueños sobre el futuro que compartió con su padre y sus hermanos. Sus hermanos se resintieron con él por sus sueños, porque la interpretación sugería que sería promovido a una posición alta de tal manera que ellos se inclinarán en honor a él. Tal vez José pudo haber sido más discreto al compartir estos sueños con sus hermanos, pero al final, los sueños se cumplieron y Dios cumplió su propósito.

# Cuando un sueño no es claro y necesita interpretación, debemos entender que solo Dios puede interpretar el sueño porque en primer lugar él nos lo ha dado.

Creo que Dios nos da sueños proféticos por la misma razón que da palabras proféticas. Conocer lo que Dios va a hacer hace que oremos, nos preparemos, y estemos con la esperanza y el coraje cuando todo parezca oponerse a lo que creemos que Dios nos ha dicho. Dios me dio un sueño profético en relación acerca de la iglesia local en la que iba a estar, lo que me animó a mantenerme firme en los últimos 10 años.

Las tres categorías de los sueños que he sugerido no son el único tipo de sueños que Dios da, pero he encontrado que son los más comunes en las Escrituras. Antes de cerrar la disertación sobre los sueños necesito darle una advertencia.

He visto muchas personas que quedan atrapados en los detalles y las piezas oscuras de ciertos sueños que sienten que Dios les ha dado. Por favor, escúcheme, Dios no está jugando un juego cósmico con nosotros donde Él quiere ver si podemos poner juntos el rompecabezas oscuro. Cuando nadie más podía interpretar el sueño del Faraón, llamaron a José, quien respondió: "No está en mí; Dios le dará el faraón una respuesta favorable" (Gen. 41:16). La interpretación siempre es de Dios; que revelará lo que está tratando de decirnos cuando se le pedimos. Si, mientras usted ora, Dios no le revela la respuesta, no se desespere con ello; simplemente sea paciente y espere su respuesta.

## Voz Interna

A veces escucharemos a Dios hablarnos al corazón y a menudo vendrá a través de una voz en vez de sólo los pensamientos. Como ya hemos comentado, el Espíritu Santo vive en nosotros, por lo que es más común escuchar su voz interna, que su voz audible. Usted puede haber oído que otros se refieren a este tipo de comunicación como la "voz apacible y delicada" de Dios, o tal vez lo relacionan con la función de la conciencia humana. De cualquier manera, yo prefiero llamarlo la voz interna del Espíritu Santo en lugar de otros términos.

Cuando Dios me habla de esta manera, por lo general escucho palabras, frases u oraciones claras en mi mente relacionadas con una situación o persona en la que he estado pensando. Cuando estoy en un viaje largo, en un tiempo de oración silenciosa, o incluso cuando oro por alguien, el Espíritu Santo me dice algo así como: "Dile a Sam que yo le proveeré las finanzas si él toma el siguiente paso." La interior voz del Espíritu Santo siempre estará dirigida a usted, lo que será una clave principal en discernir que es Dios y no sólo sus propios pensamientos. Por lo general, se oyen cosas como "dile a Ben esto...", "mi palabra dice...", "lee el Salmo 91," o incluso "Te amo."

Una noche yo estaba preparando una enseñanza para un servicio de iglesia en el que iba a hablar el día siguiente. Yo estaba un poco desanimado porque había descubierto que algunas personas con las que estaba relacionado habían estado caminando con un pecado secreto durante un tiempo. Para empeorar las cosas, sus malas decisiones salieron a la luz a través de circunstancias aún peores. Vale decir que esto hizo que la preparación de mi sermón y oración fueran interesantes. Empecé a escribir un sermón sobre estar serios con el Señor y tratar con nuestros pecados antes de que sea demasiado tarde. Ahora, no había nada de malo en ese sermón en su mayor parte, pero mientras más escribía, menos equilibrado se volvía. En ese momento se estaba haciendo tarde, así que entré en mi baño y empecé a lavarme los dientes. Sin previo aviso, en medio del cepillado, oí la voz interior del Espíritu decirme: "¿Esa es tu experiencia conmigo?" No sólo sabía que esto era Dios, sino también sabía exactamente lo que me estaba diciendo al hacerme la pregunta. Respondí rápidamente con un corazón roto, "No Señor, esa no es mi experiencia de ti." Mi reacción a una circunstancia grave estaba a punto de convertirse en un sermón que tergiversaba totalmente el carácter de Dios para un grupo de personas. Como usted puede ver, estoy muy agradecido por la voz interior del Espíritu Santo cuando decide hablarme de esta manera.

## Voz Audible

He leído muchos libros y escuchado muchos testimonios de gente que ha dicho haber escuchado la voz audible de Dios. Aunque he experimentado muchas cosas sobrenaturales, nunca he escuchado la voz audible de Dios. No dudo ni por un segundo que algunas personas han escuchado a Dios de esta manera. En mi adolescencia, un amigo mío estaba a punto de suicidarse y entonces, en el mismo momento de decisión, escuchó la voz audible de Dios y por ese motivo le entregó su vida al Señor. En esa clase de situación extrema, usualmente hay una urgencia que Dios hable, en la que la persona necesita escuchar un indudable encuentro con la voz de Dios.

A través de la Biblia hay ejemplos de cuando Dios habló con gente en voz audible. El primero que me viene a la mente es la historia que está en 1 Samuel 3. Siendo un bebé Samuel había sido entregado al sacerdote Elí y criado en el templo del Señor. Un día, mientras Samuel estaba acostado en el templo, escuchó una voz audible que lo llamaba por su nombre. Samuel, siendo joven, asumió que era la voz del sacerdote Elí, porque aún no conocía la voz de Dios. Esta fue la primera vez que Samuel escuchó a Dios hablándole, él se convertiría en un poderoso profeta de Israel.

Cuando Jesús fue bautizado en el Rio Jordán, varias personas que estaban cerca escucharon la voz audible de Dios (Lucas 3:21-22). Antes que Pablo se convirtiera, el viajaba a otra ciudad cuando de pronto una luz brillante apareció y tanto él como sus compañeros escucharon la voz audible de Jesús (Hechos 9:3-7). Aunque todos estos ejemplos fueron significativos en la historia experiencias contemporáneas similares tienen el mismo nivel de seriedad, cuando Dios le habla audiblemente, ¡significa que Él quiere llamar su atención!

## Ángeles

Solo basta hacer un rápido estudio de la Biblia para demostrar el profundo rol que tienen los ángeles en el desarrollo continuo del plan de Dios. Por lo general, la definición literal de la palabra "ángel" es realmente "mensajero." A través de la Biblia, los ángeles de Dios han traído mensajes del Señor a la gente. Me parece que el recibir un mensaje de un ángel es algo muy serio. Mientras que mucha gente en tiempos antiguos recibía mensajes de esa manera, por alguna razón, la idea que eso suceda hoy difícilmente se puede creer.

Esta experiencia sucedió con gente como Abraham, Jacob, Moisés, Gedeón, Elías, María, José, y muchos más. Al leer el libro de Hechos, vemos que hay varios ejemplos de actividad angelical que deberían guiarnos a creer que lo mismo todavía es verdad hoy en día (por ejemplo, Hechos 8:26-27). Los ángeles todavía están involucrados en los asuntos humanos como siervos y mensajeros de Dios, y a veces somos conscientes de ello mientras que en otros momentos no (Heb. 13:2).

He decidido hacer una práctica de no comentar todos mis encuentros con el Señor, sin embargo, menciono que he tenido experiencias personales con ángeles mensajeros. Hasta este momento he tenido encuentros directos con ángeles unas seis veces. La mayoría de estos encuentros han sido parecidos a visiones abiertas solo que más fuertes y obviamente más impactantes. Cuando esto me sucedió por primera vez empecé a compartirlo con la gente de mi iglesia local. En lugar de emoción e interés, fui recibido con duda y escepticismo. No es necesario decir que entonces estuve desanimado con la respuesta, y llegué a creer que ese escepticismo no venía de una perspectiva bíblica sino de falta de experiencia. Si realmente creemos que la Biblia es verdad no deberíamos tener problemas con la realidad de los ángeles mensajeros. Quiero enfatizar la importancia de sopesar el origen de cada mensaje, de donde viene y quien lo trae, con la Biblia. La Biblia es la autoridad final de nuestras vidas, y al enemigo le encanta enviarnos por caminos equivocados. "Y no es maravilla, porque el mismo Satanás se disfraza como ángel de luz" (2 Cor. 11:14). Mientras buscamos escuchar de y discernir con precisión lo que venga por nuestros caminos, también estemos conscientes de los mensajeros de Dios, porque ellos juegan un papel especial para nosotros en los propósitos de Dios.

## Otras Personas

Todas las formas de comunicación que hemos expuesto hasta ahora, con excepción de las visitaciones angelicales, han tenido que ver con Dios hablándonos directamente a nosotros. Aunque esto es de profunda importancia para cultivar una relación con Dios que haga posible una comunicación directa continúa, no podemos dejar de lado como es que Dios usa a otros para hablar a nuestras vidas. Mientras crecemos en sumisión y responsabilidad el uno por el otro, descubrimos que a menudo Dios usa las voces confiables de otros para aconsejarnos. Aunque cada persona es responsable de sopesar las palabras de otros con las escrituras, debemos recordar que el Espíritu Santo vive también en otras personas y a veces elige hablar a través de ellos.

Probablemente hay innumerables maneras en las que Dios usará a la gente para hablarnos sus palabras, pero hay algunas que vamos a encontrar más frecuentemente. En primer lugar, podemos escuchar

# Cuando no permitimos que otras personas nos hablen, es una señal que tampoco le estamos permitiendo a Dios que nos hable.

a Dios hablando a través de los demás mientras enseñan la Biblia. ¿Alguna vez ha entrado en un servicio de iglesia, escuchó un sermón, y luego salió con una nueva forma de pensar acerca de un tema específico? Esto me ha pasado varias veces. ¿Qué pasó? Bueno, debido a que usted estaba listo para recibir, el Espíritu Santo impartió algo para usted mientras alguien estaba enseñando la Biblia. Cuando alguien está realmente conectado a Dios impartirá vida espiritual a los demás, ya que ejerce el don de enseñanza del Espíritu Santo (1 Pedro 4:11; Rom. 12: 7).

La segunda manera en que comúnmente escucharemos a Dios a través de los demás, es recibiendo consejo. No puedo recordar cuántas veces he buscado el consejo de amigos o pastores y Dios me habló a través de ellos exactamente lo que necesitaba oír. Un pasaje alentador que he utilizado desde hace algún tiempo es Proverbios 24: 6 (NVI): "La guerra se hace con buena estrategia; la victoria se alcanza con muchos consejeros." Hay sabiduría en la búsqueda del consejo de personas piadosas, especialmente si se trata de cosas que emocionalmente nos han agotado bastante (criar niños, el matrimonio, la transición de empleos, el involucrarse en el ministerio, etc.).

La tercera manera común que escucharemos a Dios a través de los demás es la profecía personal. La profecía es tanto un don y una función de la iglesia del Nuevo Testamento (Hechos 2: 17-21).

En el 2003, fui empujado hacia un costado durante un servicio de la iglesia por un individuo profético que me dijo que ¡iba a escribir libros! "¡Escribir libros!," pensé. ¡Yo nunca había escrito en una publicación! Pensaba que escribir era para esos pocos apasionados que siempre soñaron con ser escritores.

A pesar de que no concordé con su palabra ese día, no pude sacármela durante los siguientes meses y gradualmente comencé a escribir. Ahora, diez años después, no puedo imaginar lo que sería mi vida sin la disciplina y la alegría de la escritura. La profecía en el Nuevo Testamento es dada para edificar, exhortar y consolar a la iglesia de Dios mientras nos ministramos el uno al otro (1 Cor. 14: 3).

## Conclusión

A medida que hemos examinado nueve maneras diferentes que Dios puede comunicarse con nosotros, espero que entienda que algunas de éstas nunca las he experimentado personalmente. Lo importante es escuchar a Dios, por lo que la forma en que esto sucede no es tan importante. Usted se estará preguntando, "¿Por qué Dios habla de muchas maneras diferentes?" Esa es una gran pregunta, y yo no pretendo saber completamente la respuesta. Yo le pregunté un día esto al Señor y en respuesta recibí una visión. En esta visión vi a alguien plantar diferentes semillas en su jardín. Mientras esta persona plantaba las diferentes clases de semillas (fresas, lechugas, zanahorias, etc.), las semillas de inmediato se convirtieron en el cultivo totalmente crecido donde fueron plantadas. Cuando me desperté, me di cuenta de que Dios me estaba mostrando que, cuando se comunica con nosotros, él planta su palabra de diferentes maneras (semillas) para lograr diferentes resultados (los frutos). Por lo tanto, he aprendido a confiar en que Dios sabe tanto lo que tengo que escuchar y cómo necesito escucharlo.

## Capítulo 4 Preguntas de Repaso

1. ¿Cuál es la manera(s) más común en la que escucha a Dios?

2. ¿Piensa que ha estado abierto o cerrado a las otras formas en las que Dios se comunica?

3. ¿De qué manera preferiría que Dios le hablara? ¿Por qué preferiría esa manera?

4. ¿Qué le ha animado más de este capítulo y como lo aplicará?

# CAPÍTULO 5
# ENTENDIENDO POR QUE DIOS NOS HABLA

Durante una buena parte de mi vida cristiana pensé que sólo Dios me hablaba con el fin de decirme qué hacer. Algunos de los que creen que Dios habla hoy también creen que "Dios no habla para ser escuchado; Él habla con el fin de ser obedecido." Ahora yo definitivamente creo que esta declaración contiene verdad pero eso no quiere decir que sea toda la verdad, ¡Dios nos ayude!

## El por qué detrás de que Dios nos habla es mucho más grande que recibir órdenes de marcha del cielo.

Ciertamente hay cosas que Dios nos dirá simplemente porque quiere que las oigamos: "Te amo", "Eres increíble" o "Buen trabajo" Un buen padre diría tales comentarios a su hijo, y Jesús dijo que Dios era un Buen Padre (Mat. 7:11). Como padre, soy igual con mis hijos, a menudo les digo cosas que simplemente tienen el propósito de afirmar sus identidades, compartir mi amor, y elogiar a sus buenas elecciones.

En resumen, hay muchas razones por las que Dios nos habla y necesitamos entenderlas a medida que avanzamos en nuestra discusión y entendimiento acerca de escuchar la voz de Dios. Para algunos de ustedes, este capítulo no parece necesario, pero hay muchos que necesitan ampliar sus fundamentos para entender por qué Dios nos habla para que no se pierdan lo que podría estar diciéndoles.

Yo personalmente avancé más allá de la mentalidad de "Dios solo habla para ser obedecido" a un modo de pensar "Dios habla por muchas razones" después de ver a mi hermano y su esposa dedicar a sus hijos al Señor. El pastor oró por mi hermano y su familia y luego comenzó un sermón acerca de mantenerse en lo que la iglesia había estado enseñando. A la mitad de su sermón, el pastor dio una ilustración de cómo era Dios usando como ejemplo a mi hermano dedicando sus hijos. El pastor le dijo a mi hermano, "Joven, el Señor quiere decir gracias, y Él quiere que usted sepa que Él aprecia que usted haya dedicado sus hijos a Él. ¡Usted no tenía que hacerlo y Él está orgulloso de que lo haya hecho!"

Recuerdo que pensé: "¿Dios sólo quería decir gracias?" En el camino a casa e incluso la semana siguiente, esas palabras del pastor estaban grabadas en mi corazón. Dios me estaba mostrando el tipo de padre que realmente es. Claro, puedo ver a alguien diciendo: "Dios no le dice gracias a nadie, eso es basura no bíblica." Está bien, Dios no necesita nada de nosotros, y está totalmente seguro de quién es Él, pero eso no significa que no va a decirnos cosas que nos animen o mostrarse lo orgulloso que está de nuestras decisiones.

Esta experiencia me abrió los ojos a las muchas razones por las que Dios nos habla. Desde entonces, me he encontrado con muchas personas que parecen solo buscar la voz de Dios para esa "cosa" que Él quiere que ellos hagan, a menudo a expensas de muchas otras cosas, que les dice a ellos regularmente. Es fácil quedar atrapado en un extraño lugar en el que desea escuchar a Dios, pero perderse todo lo que Dios está diciendo, porque no les está respondiendo a lo que le están preguntando. Dios puede no estar hablándole acerca de su próximo evento que cambiará el mundo, pero fácilmente podría hablarle sobre su corazón, sus amigos, o tal vez hablarle acerca de sí mismo.

A los veinte y un años, mientras asistía a un servicio de la tarde en mi iglesia, el Señor de repente me habló muy claramente: "Quiero que ayudes a alguien que tiene una iglesia en Kirkland." "¿Qué? ¿Kirkland? ¿Dios, realmente eres tú? "Estos y otros pensamientos se agolpaban en mi mente. La palabra era tan clara que tenía que ser Dios, pero no tenía ni idea de qué hacer con ella. Kirkland es una ciudad situada a unos 25 minutos de donde yo vivía en ese tiempo. No podía comprender el trasladarme a una iglesia desconocida en Kirkland.

Tan sólo unos meses después yo estaba asistiendo a otro servicio nocturno durante el cual nuestro pastor me presentó un hombre que iba a plantar una iglesia en la ciudad de Kirkland. No voy a mentir; empecé a sudar un poco. Mientras que fácilmente hubiera podido hacer caso omiso de la palabra que había recibido en los últimos meses, ahora tenía la conexión y sabía lo que tenía que hacer.

Después del servicio me acerqué al hombre y le dije: "Hola, mi nombre es Ben, y sé que no me conoce, pero Dios me dijo que le ayude con su iglesia en Kirkland." El hombre me dijo: "Excelente, tan sólo preséntate el próximo domingo a las 7:00 de la mañana," y lo hice. Pasé el siguiente par de años sirviendo junto a estas personas maravillosas en la plantación de la iglesia de la ciudad de Kirkland.

Durante mi tiempo en la iglesia recibí la tutoría de mi pastor, la amistad con muchos de nuestra congregación, y un montón de oportunidades para liderar en varios puestos ministeriales. Fue una experiencia que nunca olvidaré. Durante ese tiempo, Dios nos dio muchas palabras proféticas para la iglesia. En mi corazón yo creía que la iglesia crecería, florecería, y cambiaría la ciudad de Kirkland, pero que no sucedió. La iglesia no creció numéricamente y en cierto modo se redujo desde donde comenzamos.

Cerca de tres años de la plantación la iglesia, el equipo de liderazgo principal oró y sintió que el Señor quería que cerrara las puertas. Unas semanas más tarde nuestra maravillosa iglesia cerró sus puertas y todos nosotros fuimos esparcidos en varias congregaciones. Esta decisión fue especialmente difícil para nuestros pastores que habían dado todo por la iglesia, y que se enfrentaron a la pregunta, como yo lo hice, "Dios, ¿por qué quisiste que hiciéramos todo esto sólo para cerrarlo?"

Inicialmente, todos nos movimos a diferentes lugares, diferentes iglesias, y diferentes vidas. Con el tiempo, empecé a preguntarme por qué Dios me diría que ayude a una iglesia y por qué en primer lugar le diría a mis pastores que comenzaran una iglesia en Kirkland – que iba a cerrar sólo tres años más tarde. Yo había asumido que Dios nos dijo que hiciéramos estas cosas porque Él planeó usarnos para traer un avivamiento a Kirkland y ver gente salva, restaurada, y enamorada de Jesús.

No sé las razones por las que Dios nos dijo a todos nosotros que ayudáramos con la plantación de esta iglesia, pero ahora sé lo que Dios quería para mí con esta experiencia. Lo curioso es que el propósito de Dios no tenía nada que ver con mi impacto o con ser parte de algo que podría traer avivamiento a una ciudad. Esta experiencia, en lo personal, tenía que ver con ser tutelado por una familia increíble, conseguir mojar mis pies en la vocacional pastoral, sirviendo las necesidades que estaban delante de mí, y confiar en Dios, sin importar lo que pasara. Cuando Dios me habló para ir a esta iglesia, inicialmente pensé estar obedeciendo a Dios por un impacto, pero más tarde entendí que esto fue confiar en Dios para mi crecimiento personal.

Mi recorrido me ayudó a entender que Dios no nos habla sólo para decirnos qué hacer. Incluso cuando parece que nos está diciendo qué hacer, él puede tener propósitos completamente diferentes en mente de los que esperamos. Si bien puede que nunca sepamos todas las razones por las que Dios nos habla, el desarrollo de una perspectiva más amplia de por qué Dios le habla es importante. Dios desarrolla esta perspectiva en nosotros a través del tiempo, a través de la experiencia, mientras buscamos oír su voz y entender qué y por qué nos ha hablado a lo largo del camino. En general, este recorrido me ha impartido una comprensión más profunda y agradecimiento por escuchar la voz de Dios.

## Dios se da a conocer

La primera y más importante razón por la que Dios nos habla es para darse a conocer. Uno de los increíbles atributos de Dios es que él es omnisciente, lo que significa que lo sabe todo acerca de nosotros, incluyendo nuestro pasado, presente y futuro. Podemos ir aún más lejos al decir que Dios sabe más acerca de cada uno de nosotros, de lo que sabemos acerca de nosotros mismos. Hay muchos ejemplos de la omnisciencia de Dios en las Escrituras, pero uno de los pasajes más famosos es el llamado del profeta Jeremías.

> Vino, pues, palabra de Jehová a mí, diciendo: "Antes que te formase en el vientre te conocí, y antes que nacieses te santifiqué, te di por profeta a las naciones". (Jer. 1:4-5)

Jeremías probablemente estaba en su adolescencia, cuando recibió el llamado de Dios. En esencia, el Señor llamó a Jeremías en su juventud, para ser un profeta a las naciones. En este pasaje el Señor compartió con Jeremías que, si bien este llamado era nuevo para él, Dios lo había conocido todo el tiempo. Dios conocía a Jeremías antes de nacer y lo separó incluso antes que le hubieran dado un nombre. Esto es profundo, considerando la profundidad del conocimiento que Dios tiene de nuestras propias vidas y futuro.

El rey David escribió un salmo que refleja el conocimiento infinito de Dios.

> Oh Jehová, tú me has examinado y conocido. Tú has conocido mi sentarme y mi levantarme; Has entendido desde lejos mis pensamientos. Has escudriñado mi andar y mi reposo, y todos mis caminos te son conocidos. Pues aún no está la palabra en mi lengua, y he aquí, oh Jehová, tú la sabes toda. Detrás y delante me rodeaste, y sobre mí pusiste tu mano. Tal conocimiento es demasiado maravilloso para mí; alto es, no lo puedo comprender. (Sal. 139:1-6)

¿Puede comprender la profundidad con la que Dios le conoce? Dios conoce íntimamente cada célula de su cuerpo, cada cabello que hay en su cabeza, cada palabra que habla, cada lugar que vivirá, cada niño que tendrá, y todas las dificultades que enfrentará. Amigos, Dios nos conoce a tal grado que rápidamente estamos abrumados tratando de imaginarlo, al igual que el rey David, quien dijo: "Tal conocimiento es demasiado maravilloso para mí" (Salmo 139: 6.).

Dios nos conoce, pero todavía algo está faltando; nosotros no lo conocemos. La verdad es que nunca vamos a conocer a Dios en la medida en que Él nos conoce, porque no es posible. Sin embargo, Dios todavía quiere darse a conocer a nosotros y lo hace principalmente hablándonos. Seamos claros: no estamos hablando sobre el conocimiento de libros, sino del verdadero conocimiento personal que sólo puede ser compartido por la experiencia relacional. Dios nos creó para conocerlo, no sólo para saber acerca de Él.

En el libro de Éxodo Dios usó a un hombre llamado Moisés para liberar a la nación de Israel de la esclavitud y llevarlos a una nueva tierra de bendición. Antes de entrar en esta tierra prometida, Dios guió a Israel a través de un desierto que tenía muchos obstáculos difíciles que serían útiles para llevarlos a una revelación de quién era realmente Dios.

Personalmente creo que la experiencia en el desierto tuvo mucho que ver con el deseo de Dios de darse a conocer a Moisés e Israel, ya que en realidad no lo conocían antes. Moisés tenía claramente una relación especial debido a la clase de comunicación poco común que compartían… "Y hablaba Jehová a Moisés cara a cara, como habla cualquiera a su compañero..." (Éxodo 33:11). Dios se reveló a sí mismo a Moisés a diferencia de cualquier otra persona de su día. Este tipo de relación encendió algo en el corazón de Moisés por querer conocer a Dios aún más.

> **Cuando Dios nos habla Él revela su carácter y amor por nosotros, esto eliminará muchas de nuestras nociones preconcebidas y hará que nuestro amor por Él crezca más fuerte.**

> Y dijo Moisés a Jehová: Mira, tú me dices a mí: Saca este pueblo; y tú no me has declarado a quién enviarás conmigo. Sin embargo, tú dices: Yo te he conocido por tu nombre, y has hallado también gracia en mis ojos. Ahora, pues, si he hallado gracia en tus ojos, te ruego que me muestres ahora tu camino, para que te conozca, y halle gracia en tus ojos; y mira que esta gente es pueblo tuyo (Ex. 33:12-13).

En esta conversación Moisés le dijo a Dios: "Tú me conoces a mí y a mis caminos, así que déjame conocerte a tí y tus caminos." Después de caminar con Dios por algún tiempo y tener el privilegio de escuchar su voz con relación a instrucciones y mandamientos, Moisés sólo quería que Dios le mostrara quién y cómo era. Conocer a Dios es el deseo más profundo del ser humano. Dios nos hablará de muchas maneras a lo largo de nuestras vidas para darse a conocer.

Muy a menudo pensamos que Dios está de una u otra manera basado en lo que nos enseñaron en la iglesia o en el ejemplo de los demás.

## Dios revela Nuestro Propósito en su Plan

Dios tiene un plan que involucra a todas las personas, especialmente a los que creen en Jesús y caminan con la asociación del evangelio. Como ya hemos comentado, Dios sabe todo acerca de nosotros incluyendo nuestro futuro, lo que implica los roles de cada jugador en su plan para la humanidad. Así es, usted tiene un papel importante en lo que Dios está haciendo hoy y él quiere darle a conocer las tareas asignadas que tiene específicamente para usted.

¿Cómo sabemos lo que Dios quiere que hagamos en esta vida? En términos generales, sabemos lo que Dios quiere basado en las escrituras. Sin embargo, somos conscientes de las cosas específicas que Dios nos ha llamado a hacer cuando nos habla en las diferentes maneras que hemos discutido. Por ejemplo, recibí una palabra profética que iba a escribir libros. A medida que pasé tiempo con Dios, él confirmó la misma palabra en mi corazón. Para mí, escribir libros con el fin de equipar al Cuerpo de Cristo es una de las cosas específicas que Dios me ha llamado a hacer.

En el principio de lo que resultaría algo muy difícil para Israel, el profeta Jeremías dio una palabra profética para la nación que es verdad para nosotros también. "Porque yo sé los pensamientos que tengo acerca de vosotros, dice Jehová, pensamientos de paz, y no de mal, para daros el fin que esperáis." (Jer. 29:11) Independientemente de lo que las circunstancias de Israel parecían al momento de recibir esa palabra, Dios sabía lo que iba a pasar y cómo el pueblo de Israel aún tenía un propósito en su plan.

Dios conoce el plan y no importa lo que nos parezca en este momento, Él tiene una palabra de esperanza para hablarnos cuando nos asociamos con él para el cumplimiento de su voluntad y su plan a lo largo de nuestras vidas. Nuestra situación puede parecer como que Dios no tiene un gran plan para nosotros, ¡pero Él lo tiene! ¿Qué es lo que Dios le ha dicho que haga? ¿Cuáles son los propósitos que Dios quiere que usted lo logre? Independientemente de lo que otros hayan dicho o lo que usted mismo se haya dicho, ¡Dios tiene cosas especiales para que usted haga en esta vida! Me he dado cuenta de que el Señor no tiene problemas en decirle a la gente cosas que se extienden mucho más allá de donde se encuentran en la vida, cosas que son mucho mayores de lo que ellos mismos jamás podrían lograr. Nuestro trabajo no es cuestionar al Señor, sino escucharle y creer lo que dice, ¡sin importar qué!

## Creo que la ignorancia acerca de nuestros propósitos en el plan de Dios es a menudo el resultado de nuestro fracaso de pedirle detalles.

Dios no quiere que seamos ignorantes de las cosas a las que nos ha llamado a hacer, pero a veces lo somos. Hace algún tiempo yo estaba orando y preguntándole al Señor que era en lo que Él quería que me enfoque, Él me habló de la importancia de los recursos de audio y vídeo para nuestro ministerio.

Esto no era algo que yo había considerado previamente, ni tampoco sabía cómo hacer eso.

Sin embargo, Dios me había llamado a desarrollar un discipulado en partes del mundo que nunca había visitado. Él me dijo cómo iba a suceder y simplemente seguí su dirección. Así, empezamos grabando todas nuestras enseñanzas, y las cosas despegaron desde ahí. Hoy puedo enseñar una clase con una asistencia de 150 personas, pero debido a que lanzamos recursos de audio y vídeo como el Señor me dirigió, tenemos diez a veinte veces esa cantidad observando y escuchándonos en línea por todo el mundo.

Cuando el apóstol Pablo escribió a la iglesia de Éfeso que quería que supieran lo increíble que eran ante Dios:

> Porque por gracia sois salvos por medio de la fe; y esto no de vosotros, pues es don de Dios; no por obras, para que nadie se gloríe. Porque somos hechura suya, creados en Cristo Jesús para buenas obras, las cuales Dios preparó de antemano para que anduviésemos en ellas. (Efes. 2:8-10)

Por la gracia de Dios, estamos llamados a hacer cosas importantes, que Dios ya conocía y ha hecho preparativos para ellas incluso antes de que naciéramos. Nuestro trabajo consiste en caminar con Dios y escuchar lo que nos dice que hagamos para que podamos realizar las tareas específicas asignadas para las cuales ya ha hecho planes.

Sólo Dios conoce todo el cuadro, y por lo general opta por sólo darnos una pieza a la vez.

¿Alguna vez ha comprado o recibido algún tipo rompecabezas? Aunque yo no soy un fan de los rompecabezas, puedo recordar haber hecho unos cuantos cuando era más joven. Me pregunto lo que sería hacer un rompecabezas de veinte mil piezas sin ninguna imagen de lo que debe ser cuando termine. No tendría sentido, ¡estoy seguro! La vida es como ese rompecabezas y sólo Dios conoce como se ve toda la imagen al final. En el recorrido de la vida tenemos que escuchar a Dios sobre que piezas debemos poner, y confiar en Él que todo el asunto se juntará con el tiempo. Ese es realmente su plan, pero es nuestro privilegio tener un propósito en medio de todo, y es nuestra responsabilidad el escuchar y obedecer, no importa lo que diga.

## Dios nos lleva de Nuevo al Camino Estrecho

Otra razón por la que Dios nos habla es para traer corrección a algo. Desafortunadamente, la mayoría de la gente piensa en la corrección como algo malo, no pueden estar más lejos de la verdad. Necesitamos la voz de la corrección de Dios si es que vamos a permanecer en el camino estrecho y no terminar en una zanja. No puedo decirles cuántas veces el Señor me ha dado una palabra de corrección y literalmente me salvó de años de dificultad, dolor increíble, y conflicto innecesario en mis relaciones.

Como mencioné antes, cuando nos convertimos en cristianos, nuestra dirección en la vida viene bajo un nuevo liderazgo. Nos convertimos en seguidores de Jesús, ya no nos seguimos a nosotros mismos ni a cualquier otra persona. Rápidamente nos damos cuenta de que todas las voces no desaparecieron sólo porque le dijimos "sí" a Jesús. A veces pecamos y tomamos decisiones muy pobres por seguir al liderazgo de la carne, pero Dios es fiel para llevarnos de vuelta a la senda de la vida, así que no se quede atrapado en patrones destructivos.

Dios nos corrige porque nos ama y quiere lo mejor para nuestras vidas. Siempre que Dios señala la verdad con el fin de corregir nuestra forma de pensar o las cosas que estamos haciendo, debemos darle la bienvenida con los brazos abiertos. La palabra "corregir" significa simplemente el estar bien nuevamente, el hacer nuestros caminos rectos, reprender, o señalar el error. Aunque nacemos de nuevo y hechos nuevos por el Espíritu de Dios, nuestras mentes aún no están totalmente renovadas (Rom. 12:1-2); por lo tanto, no todas nuestras decisiones son de Dios. Por eso, necesitamos la amorosa voz paternal de Dios de la corrección para revelar la manera recta y la mejor opción, en contraste con lo que podamos estar pensando o haciendo.

Me desconcierta cómo tanta gente habla o actúa como si Dios no tuviera interés en traer corrección a sus vidas. Si uno de mis hijos empieza a tomar decisiones pecaminosas que lo conduzcan a una dificultad inevitable si es que continúan haciéndolas, voy a ser el primero en hablar con ellos sobre esto, con la esperanza de que pueda salvarlos del dolor futuro. La corrección de Dios no se trata de un castigo; se trata de mantenernos en el camino para el que hemos sido creados, el camino de la vida.

# ¡La corrección de Dios imparte la dirección correcta!

La Biblia es la voz principal de Dios en nuestras vidas y hemos visto que uno de los propósitos principales de la Escritura es darnos corrección con el fin de moldearnos.

> Toda la Escritura es inspirada por Dios, y útil para enseñar, para redargüir, para corregir, para instruir en justicia, a fin de que el hombre de Dios sea perfecto, enteramente preparado para toda buena obra. (2 Tim. 3:16-17)

La corrección de la escritura nos ayuda a alejarnos de lo que está mal y entrar en lo que es correcto. El objetivo de la corrección de Dios no es sólo para hacernos sentir mal por el error, sino para ayudarnos a llegar a ser aquello para lo cual nos creó todo el tiempo.

Cuando el rey Salomón escribió los Proverbios, tenía claramente a sus hijos en mente (Prov. 1: 8; 2: 1, 3: 1, 4: 1; 5: 1; 6: 1). Escribió verdades sencillas para sus hijos y otras personas de manera que evitaran la destrucción y se aferren a la verdadera sabiduría, que lleva a la vida. Salomón hizo muchos comentarios acerca de la importancia de la corrección y nuestro papel cuando la recibimos. También mencionó que las personas que no reciben corrección son tontos, malos líderes, perezosos, estúpidos, y que terminarán perjudicándose a sí mismos y a los demás (sus palabras, no las mías).

> Él que atiende a la corrección va camino a la vida; él que la rechaza se pierde. (Prov. 10:17, NVI)

Él que ama la disciplina ama el conocimiento, pero él que la aborrece es un necio. (Prov. 12:1, NVI)

Él que desprecia a la disciplina sufre pobreza y deshonra; él que atiende a la corrección recibe grandes honores. (Prov. 13:18, NVI)

Él necio desdeña la corrección de su padre; él que la acepta demuestra prudencia. (Prov. 15:5, NVI)

Al insolente no le gusta que lo corrijan, ni busca la compañía de los sabios. (Prov. 15:12, NVI)

Para el descarriado, disciplina severa; para él que aborrece la corrección, la muerte. (Prov. 15:10, NVI)

No estoy diciendo que tenemos que saltar de arriba para abajo, emocionados por la corrección de Dios, pero debemos ser conscientes de que juega un papel importante en nuestro desarrollo como sus hijos. Es un acto de amor por parte de Dios el corregirnos cuando lo necesitamos para que podamos permanecer o seguir en el camino correcto. Al percibir la corrección de Dios de cualquier otro modo que no sea en amor, es simplemente incorrecto.

Recibir corrección del Señor tiene que ver con humildad de corazón. Les animo a confiar en el Señor Jesús mientras le sigue y saber que todo lo que Él le dice es para su bien. Las palabras correctivas no serán tan difíciles de escuchar cuando confiamos en el que habla, y conocemos el potencial que tiene en la transformación de muchas áreas de nuestras vidas.

## Dios quiere hablar a través de nosotros

Como sucede con todo en la vida cristiana, Dios a menudo nos da algo para que podamos darlo a los demás. Aunque he pasado la mayor parte de este libro hablando sobre escuchar a Dios para usted mismo, es

importante hablar, aunque sea brevemente, de escucharlo para beneficio de los demás, otra razón por la que Dios nos habla personalmente.

El tema de la profecía no es un tema pequeño en la Biblia y en verdad merece un estudio a fondo, por lo cual recomiendo mi libro sobre
el don de la profecía.

Cuando empecé a escuchar la voz de Dios nunca había oído hablar
del término "profecía" en una conversación que no fuera respecto a
los tiempos del fin o la escatología. Sin embargo, la experiencia de la
profecía se convirtió en normal para mí, incluso durante mi primer año
caminando con Jesús. A veces me paraba al lado de alguien en la iglesia,
en la tienda de comestibles, o en la sala de cine, y, de repente, empezaba
a recibir imágenes, pensamientos o escrituras relevantes para esa per-
sona. Recibir revelación es importante, pero Dios quiere que nosotros bendigamos y fortalezcamos a las personas con sus palabras.

Con el fin de ayudarles en su uso de los dones espirituales, el apóstol Pablo escribió a la iglesia de Corinto sobre el propósito y beneficio de las palabras proféticas.

> **La profecía ocurre cuando Dios nos habla de otra persona y compartimos lo que nos ha dicho con esa persona.**

Seguid el amor; y procurad los dones espirituales, pero sobre
todo que profeticéis. Porque el que habla en lenguas no habla a
los hombres, sino a Dios; pues nadie le entiende, aunque por el
Espíritu habla misterios. Pero el que profetiza habla a los hombres
para edificación, exhortación y consolación. El que habla en lengua extraña, a sí mismo se edifica; pero el que profetiza, edifica a la
iglesia. Así que, quisiera que todos vosotros hablaseis en lenguas,
pero más que profetizaseis; porque mayor es el que profetiza que el

que habla en lenguas, a no ser que las interprete para que la iglesia reciba edificación. (1 Cor. 14:1-5)

Pablo menciona que deberíamos tener un fuerte deseo por los dones espirituales, pero especialmente por el de profecía. ¿Por qué? Cuando una persona escucha una palabra profética de un hermano o hermana se le anima, fortalece, y consuela con los pensamientos de Dios hacia ellos. ¡Qué profunda privilegio es oír la voz de Dios para los demás y compartir con ellos lo que Dios les está diciendo!

Usted puede estar diciendo, "Yo no tengo el don de profecía," o "¡No es así como Dios me usa!" Bueno, el apóstol Pablo nos dijo que deseemos la profecía, no para nosotros, sino para fortalecer a los demás. Si el Espíritu Santo vive dentro de nosotros y sabe todo acerca de cada persona del planeta, no creo que sea un gran problema para Él para compartir algo con nosotros que ayudará a otra persona. De hecho, creo que a Dios le gusta compartir cosas con nosotros para los demás, cuando él sabe que realmente vamos a utilizar esa información para beneficio de ellos y no de nosotros.

Como dije antes, Dios está hablándonos todo el tiempo, pero a menudo no estamos recibiendo lo que Él nos está diciendo. Cuando sabe que Dios le hablará para los demás, en cualquier contexto, eso le ayudara a recibir de Él y le dará confianza para compartir lo que ha oído. Cuando empecé a recibir las palabras del Señor para otros, rara vez les compartía porque realmente no entendía lo que era la profecía, para qué era, o si lo que yo estaba recibiendo era incluso de Dios. Sin embargo, una vez que supe que Dios nos daba sus palabras para los demás, me volví más voluntarioso en compartir esas palabras.

Hace mucho tiempo, uno de mis amigos estaba al final de su soga, cansado de destruir su vida. Él bajó al restaurante local por sí mismo para considerar su vida, sin dinero, sin trabajo, sin esperanza y sin vida. Mientras estaba sentado en el restaurante bebiendo una taza de café, un hombre se acercó a su mesa y se sentó frente a él. El hombre le dijo "Hijo, Jesús te ama y quería que te dijera eso." Después de decir esto, el hombre invitó a mi amigo a un servicio de la iglesia donde mi amigo le dio todo su corazón a Jesucristo. La palabra profética no fue detallada y puede no sonar muy profética, pero para mi amigo fue una palabra de Dios en su situación. Una palabra

# Amigos míos, cuando Dios le dice algo a usted para otra persona, ¡sea valiente y dígalo!

de Dios puede cambiar la vida de una persona. Usted puede ser el vaso que Dios usa para compartir una palabra.

## Capítulo 5 - Preguntas de Repaso

1. ¿Alguna vez ha pasado por alto lo que Dios le estaba diciendo por estar buscando que le diga otra cosa? ¿Cómo le ayuda el conocer las diferentes razones por las que Dios se comunica con nosotros?

2. ¿Ha resistido a la corrección de Dios en su vida? Si es así, ¿por qué cree que fue?

3. ¿Alguna vez Dios le ha hablado acerca de otras personas? ¿La frecuencia de escuchar a Dios por otros estará relacionada con la frecuencia con la que usted le pide a Dios por ellos? ¿Cómo va a hacer esto de manera más efectiva?

4. ¿Qué le animó más de este capítulo y como lo aplicará en su vida

# CAPÍTULO 6
# OBSTACULOS PARA ESCUCHAR A DIOS

Cuando tenía unos nueve años, estaba afuera en nuestro callejón jugando béisbol con todos los chicos del barrio. Por alguna razón quedé atascado siendo el receptor en nuestro primer partido. ¡Cómo odiaba jugar en esa posición! No mucho después en el juego uno de mis amigos se acercó al plato y, lanzó el balón, él dio un paso atrás y volvió a correr a casa. Todavía no tengo ni idea de por qué dio un paso atrás, pero en vez de pegar un jonrón, balanceó el bate contra el lado derecho de mi cabeza, enviándome directamente al suelo. Con la ayuda de unas cuantas personas me levanté y me fui a casa para que mi mamá pudiera llevarme al hospital. Afortunadamente para mí, mi mandíbula y el cráneo estaban intactos, pero mi oído derecho fue severamente dañado. Recuerdo despertar en la mañana con un zumbido constante en mi oído que nunca ha desaparecido totalmente. Incluso hoy en día, tengo un grado de discapacidad auditiva en el oído derecho con el que he aprendido a vivir.

Desde de ese día, he tenido problemas auditivos continuos cuyos síntomas van y vienen. Un mes puedo oír bien, y el mes que viene escucho cerca del cincuenta por ciento en mi oído derecho. Cuando fui golpeado, mi oído fue dañado en su capacidad para drenar el fluido, por lo que me es difícil oír cada vez que tengo agua en el medio del oído que no drena. Esto es muy molesto y las infecciones frecuentes del oído afectan muchas de las actividades de mi vida. A menos que tenga un milagro creativo, por el que todavía estoy orando, mi audición puede disminuir a medida que pasan los años y podría terminar siendo el viejo que camina alrededor gritando, "Eh, ¿qué dijiste?" .

Si bien las complicaciones que vivo son menores en comparación con una persona sorda, todavía entiendo en cierta medida lo que significa tener discapacidad auditiva. A menudo participo en conversaciones en las que no puedo oír bien lo que dice el que habla, y acabo de diciendo "sí" y muevo mi cabeza como si hubiera oído todo. He aceptado el hecho que el problema es mi audición y no el que habla, así que en vez de acomodarme por mi discapacidad cuando me hablan por mi lado izquierdo, o hablar un poco más fuerte, por lo general sólo sigo la corriente y recibo lo que pueda de la conversación. Impresionante,

¿verdad? Sólo para que sepas, ¡este será nuestro secreto así que no se lo digas a nadie! He aprendido, como tantos otros, a adaptarme a la vida sin una capacidad auditiva normal.

No todo el mundo va a experimentar obstáculos en su audición física, pero en algún momento todos nosotros nos encontraremos con obstáculos para escuchar a Dios. Hay muchas razones por las que podemos no estar escuchando a Dios, pero como mi oído físico, la cuestión no es con el que habla. En los diferentes relatos de los evangelios, Jesús contó muchas historias a las multitudes sobre el Reino de Dios. Al final de algunas de estas historias, Jesús les decía: "¡Él que tiene oídos para oír, oiga!" (Marcos 4: 9; Lucas 8: 8; 14:35) ¿Se ha preguntado por qué Jesús les dijo eso? Estoy seguro que sí. Obviamente, la gente a la que Jesús le estaba hablando tenían oídos físicos, pero eso no significaba que ellos entendieran o recibieran sus palabras. La pregunta para todo seguidor de Jesús es, "¿Tengo oídos para oír lo que Jesús está diciéndome?"

Un obstáculo es algo que va a evitar o impedirnos escuchar lo que Dios está diciendo. Ya que estamos creados para escuchar y seguir a Dios, es sumamente importante tomar todos los obstáculos como una seria amenaza para nuestro crecimiento y bienestar general. De hecho, cuando se nos impide escuchar a Dios, también se nos impide obedecerle. Jesús dijo: "Mis ovejas oyen mi voz, y yo las conozco, y me siguen" (Juan 10:27). Para los cristianos, la obediencia debe ser el flujo natural de haberle oído, es por eso que no debemos ser obstaculizados cuando buscamos escuchar a Dios.

Al observar diversos obstáculos que podemos experimentar, es importante mantener nuestros corazones fijos en la primera y única solución: Jesús. Cuando Jesús murió en la cruz y resucitó de entre los muertos, se destruyeron todos los obstáculos para escuchar la voz de nuestro Padre (Ef. 2:13). El teléfono celular de Dios siempre está disponible. Si el nuestro no, entonces debemos reconocer que es nuestro propio equipo, y no la compañía telefónica (Jesús).

## No Conocemos a Dios

Más o menos durante los últimos diez años he tenido la suerte de servir como miembro del equipo de oración en nuestra iglesia local. Me encanta orar y considero que es un privilegio poder estar al lado de alguien en un momento de necesidad, mientras buscamos la respuesta de Dios juntos. Al orar con muchas personas he cometido el error básico de asumir que todo el que pide oración durante un servicio de la iglesia ya es cristiano. Debo admitir, para mi vergüenza, que durante varios años, cometí este error repetidas veces.

Un día, después de un servicio de la iglesia, me dirigí a la parte delantera y me uní a los equipos de oración durante un tiempo de ministración. Un señor se me acercó y comenzó a compartir una lucha por la que estaba pasando. Lo escuché por unos minutos y luego comencé a orar y esperar en el Señor. Mientras oraba sentí que algo no estaba del todo bien, pero no tenía idea de lo que era, así que no le presté especial atención Terminé la oración y hablamos por un momento. Justo antes de que el hombre se fuera hizo un comentario sobre cómo no podía oír a Dios ni sentía que lo conocía. Le pregunté al hombre: "¿Cuándo le diste tu vida a Jesús?" A lo que respondió rápidamente: "Yo no sé si lo he hecho." ¿En serio? ¿Esto realmente me sucedió? Durante los últimos diez minutos estaba orando con alguien que quería escuchar a Dios y todo el tiempo su problema era que no conocía a Dios.

Aprendí dos cosas de esta experiencia. En primer lugar, nunca más asumiría que alguien es cristiano sólo porque está en la iglesia o porque ha llegado a la parte delantera de la oración. En segundo lugar, el mayor obstáculo para escuchar a Dios, es no conocer a Dios personalmente.

Recuerde, Jesús dijo que sus ovejas oyen su voz (Juan 10:27). Además, Jesús lo explicó claramente a los líderes religiosos judíos durante una acalorada discusión acerca de su propia identidad. "El que es de Dios, las palabras de Dios oye; por esto no las oís vosotros, porque no sois de Dios" (Juan 8:47). Ellos fueron impedidos de escuchar a Dios, tanto a través de Jesús como por las Escrituras, debido a que no eran verdaderos seguidores de Dios.

Estoy seguro de que la mayoría de los que leen este libro están comprometidos con el Señor Jesús. Sin embargo, si usted no ha entregado su vida a Jesucristo, le animo a recibir su amor en este momento. Usted podría estar diciendo: "Yo no escucho a Dios en absoluto", y en este momento en le pregunto, ¿Jesús es su pastor? ¿Está siguiendo a Jesús o ha estado siguiendo su propia voz? Ha dado su vida a Jesucristo y ha recibido el perdón de sus pecados a través de su muerte y resurrección? Si no, que esto sea una palabra de Dios para usted: Él quiere conocerlo personalmente y comunicarse con usted de una manera profundamente relacional. Usted escuchará la voz de Dios, pero todo empieza por tomar la decisión de seguir a Jesús con todo su corazón.

## Descuidando el Tiempo con Dios

Cuando me convertí un cristiano me encantó pasar incontables horas con el Señor en oración y estudio de la Biblia. Ser un soltero de diecinueve años me dio la oportunidad de pasar muchas horas con el Señor; tiempo que no se sentía como un gran sacrificio. Con el paso de cada año y el incremento de la responsabilidad, esas horas con Dios pueden convertirse fácilmente en minutos si no se tiene cuidado.

Sin lugar a dudas, la relación con Dios es única en muchos sentidos, pero podemos sacar fácilmente algunas similitudes de la relación entre los cónyuges. Toda buena relación tiene buena comunicación. Cada vez que mi esposa y yo tuvimos consejería anterior o posterior al matrimonio, rápidamente se nos recordaba que la calidad de la comunicación en una relación determina la calidad de esa relación en su conjunto. Dicho esto, el esposo y la esposa no pueden tener una buena comunicación sin pasar tiempos significativos y consistentes juntos. Esta verdad es la misma en relación con Dios.

Esto probablemente no es nuevo para usted, pero espero que todos nosotros realmente entendamos que descuidar tiempo con Dios es aún más grave que dejar de lado pasar tiempo con nuestra pareja. Dios debe tener el primer lugar en nuestras vidas, cuando ese no es el caso se verá obstaculizado en escucharlo.

Es trágico que los cristianos sepan más de deportes que de la Biblia, y que el estadounidense promedio gasta dos o tres horas al día viendo la televisión, mientras que sólo cinco minutos (o menos) en la oración diaria. En algún momento, sólo tenemos que conectar los puntos y admitir que no escuchamos a Dios porque lo descuidamos por pasar todo nuestro tiempo haciendo todo lo demás. Es igualmente trágico cuando pasamos la mayor parte de nuestro tiempo haciendo cosas para Dios, sin pasar tiempo con Dios.

Cuando era pastor de jóvenes asistía al almuerzo de líderes en una de las iglesias más grandes de la zona. Durante nuestro tiempo juntos, el expositor nos pidió que anotemos el promedio de minutos que pasábamos en oración por día. Cuando todo el mundo terminó, doblamos nuestros papeles y se los entregamos a un ujier que se fue para anotar los resultados. Unos minutos más tarde, el expositor recibió los resultados. Cuando los leyó para nosotros, para mi sorpresa, la mayoría de los pastores de jóvenes pasaba menos de cinco minutos en oración cada día. Nunca olvidaré la mirada en todas nuestras caras cuando el orador dijo, "¿Esto realmente va a cortar su vida con Dios y su ministerio con la gente?" Sin decir una palabra, más de un centenar de jóvenes los pastores en la habitación dijo "¡No!" al unísono.

Aunque no me fui de esa reunión avergonzado, me fui con una perspectiva sobria que yo mismo había aceptado menos tiempo con Dios como norma, y que eso no estaba bien. No importa si soy un pastor, tengo un ministerio, o si la gente conoce mi nombre, pero me importa si pongo todo en mi vida antes que Dios y, sin embargo, por alguna extraña razón, espero tener una

## Para escuchar a Dios se debe conocer a Dios, y conocer a Dios lo posicionará para escucharlo.

buena comunicación con Él. No esperamos que una relación matrimonial sea buena sin tiempo de calidad, por lo que no debemos esperar nada diferente con el Señor. Somos, después de todo, su novia. Es eternamente cierto que cuanto más tiempo pasemos con Él, más vamos a saber de Él.

Durante una visita a sus amigas Marta y María, Jesús habló de la cuestión de descuidar el tiempo con Dios.

> Aconteció que yendo de camino, entró en una aldea; y una mujer llamada Marta le recibió en su casa. Esta tenía una hermana que se llamaba María, la cual, sentándose a los pies de Jesús, oía su palabra. Pero Marta se preocupaba con muchos quehaceres, y acercándose, dijo: Señor, ¿no te da cuidado que mi hermana me deje servir sola? Dile, pues, que me ayude. Respondiendo Jesús, le dijo: Marta, Marta, afanada y turbada estás con muchas cosas. Pero sólo una cosa es necesaria; y María ha escogido la buena parte, la cual no le será quitada (Lucas 10:38-42).

Vemos una imagen de dos mujeres tomando dos decisiones muy diferentes sobre el momento más importante de sus vidas. La Biblia dice que María estaba sentada a los pies del Señor "escuchando a [Jesús]", mientras que Marta estaba detrás, ocupada con todos los preparativos. Marta confrontó al Señor acerca de la elección de María porque pensaba que era la pereza lo que hacía que su hermana se sentara en el suelo a los pies de Jesús. Jesús se apresuró en señalar que lo más importante que podía hacer era precisamente lo que María estaba haciendo, "Estar sentada a sus pies, escuchando su palabra." Jesús no dijo que lo que estaba haciendo Marta no era importante; estaba explicando que no era tan importante.

**Como cristianos, uno de los mayores obstáculos para oír hablar a Dios es nuestra falta de pasar tiempo de calidad con Él.**

¿Por qué creemos que cuando nuestros horarios se aligeren o esta etapa de la vida se calme, entonces seremos capaces de llegar a las cosas importantes, como tener más tiempo con Dios? Es mentira. Siempre habrá cosas que hacer, lugares donde ir y personas a quienes ayudar. Si bien todas estas cosas tienen que hacerse, y con seguridad son importantes, si Dios no está en primer lugar en nuestras vidas, entonces todo lo demás no importa mucho. La simple verdad es que estamos impedidos de escuchar a Dios cuando nos descuidamos en pasar tiempo con Dios.

### Un Corazón Duro

Me gustaría que mi vida cristiana tuviera un historial perfecto, pero sinceramente, no ha sido el caso. Cuando me convertí en cristiano, fui librado de toda lucha importante de la que era consciente: de las drogas, el alcohol y la promiscuidad sexual. Mi experiencia fue un verdadero trasplante de corazón; Jesús tomó mi corazón de piedra y lo reemplazó con un corazón de carne (Ez. 11: 17-21). Yo era una persona nueva y fue tan poderoso que apenas recuerdo experimentar alguna tentación de pecar durante los primeros seis meses. Ah, pero la temporada de escapar de la tentación fue corta, y fui pronto volví a ser tentado por los mismos pecados que había sido librado.

Aunque era realmente nuevo y experimenté una liberación sobrenatural, terminé regresando a cierto pecado y mi corazón comenzó a endurecerse nuevamente. Durante ese tiempo, mientras estaba sentado en una reunión en la iglesia, me sentía condenado por el sermón del expositor, pero me negaba a responder. Necesitaba la ayuda de Dios y la ayuda de otros para ser guiado al arrepentimiento. Cuanto más tiempo no respondía, más duro se ponía mi corazón. Yo sabía que mi pecado secreto estaba mal. Sabía que tenía que cambiar e incluso quería cambiar, pero siendo humilde y honesto acerca de todo, por alguna razón parecía demasiado costoso.

Me quedaba despierto hasta tarde en la noche con mi Biblia abierta, queriendo desesperadamente saber de Dios, mientras que Dios me estaba hablando a través de la convicción, que estaba ignorando. Buscaba en la Biblia encontrar alivio para mis luchas, pero Dios no me dejaba seguir adelante. Aprendí de primera mano cómo puede ser de engañoso el pecado.

Un día, decidí a ir a la casa de un amigo para confesar mi pecado y estar bien con Dios.

Mi corazón se ablandó cuando respondí a la convicción del Espíritu y comencé a escuchar la maravillosa voz de Dios con gran claridad. Si elegimos vivir en el pecado no arrepentido, con el tiempo nuestro corazón se endurecerá y el escuchar a Dios disminuirá significativamente. Negarse a escuchar y responder a la convicción del Espíritu Santo con el tiempo nos hará espiritualmente duros en escuchar, porque escuchar a Dios trata de la condición de su corazón. El principio es siempre verdadero, que un corazón endurecido causará dureza en escuchar.

Escuche las advertencias del autor de Hebreos dirigidas a un pueblo que estaba luchando en el primer siglo.

> Mirad, hermanos, que no haya en ninguno de vosotros corazón malo de incredulidad para apartarse del Dios vivo; antes exhortaos los unos a los otros cada día, entre tanto que se dice: Hoy; para que ninguno de vosotros se endurezca por el engaño del pecado. Porque somos hechos participantes de Cristo, con tal que retengamos firme hasta el fin nuestra confianza del principio, entre tanto que se dice: Si oyereis hoy su voz, no endurezcáis vuestros corazones, como en la provocación. ¿Quiénes fueron los que, habiendo oído, le provocaron? ¿No fueron todos los que salieron de Egipto por mano de Moisés? ¿Y con quiénes estuvo él disgustado cuarenta años? ¿No fue con los que pecaron, cuyos cuerpos cayeron en el desierto? ¿Y a quiénes juró que no entrarían en su reposo, sino a aquellos que desobedecieron (Heb. 3:12-18)?

Este pasaje deja claro que podemos ser "endurecidos por el engaño del pecado", a través del cual nos resistimos a lo que Dios está diciendo, y el escritor menciona que el pueblo de Israel también luchó con esto durante el tiempo del Éxodo. Sé por experiencia que se necesita valor para humillarse ante el Señor y los demás, pero también sé cuán importante es experimentar la verdadera libertad en Cristo. Cuando nos humillamos, Dios nos da la gracia de vivir victoriosamente en las mismas áreas que una vez fuimos derrotados (Sant. 4: 6-10). Si el Señor le está dando convicción de algo, no busque otra palabra; más bien, humíllese y logre que su corazón esté recto con Él y usted comenzará oír su voz con más claridad.

## Solo la Gente Especial Escucha a Dios

Otro obstáculo típico se resume en la frase: "Dios sólo habla con personas especiales o realmente espirituales." Esta perspectiva está mal en muchos sentidos. Por lo general, cuando la gente tiene esta perspectiva, implica que ellos no son una de esas "personas especiales" con las Dios habla. Seamos claros; todo el mundo es imperfecto.

Todo el mundo necesita la sangre de Jesús para cubrir sus pecados, sí, ¡todo el mundo! Usted no puede ganar el privilegio de escuchar a Dios, porque es una parte central de la relación por la que Jesús dio su vida.

Es posible vivir de una manera tal que no escuchemos la voz de Dios, y luego optar por utilizar la excusa de "yo no soy realmente espiritual". Claro, si no pasa tiempo con Dios, o si mantiene una vida secreta de pecado, es probable que no escuche mucho la voz de Dios, pero eso depende de usted, no de Dios. Mientras que Dios le da a cada uno tareas diferentes y llamados, Él no elige favoritos respecto de con quién quiere hablar.

Al considerar a los que Dios le habla, echemos un vistazo a lo que Santiago dice en su carta.

> Y si alguno de vosotros tiene falta de sabiduría, pídala a Dios, el cual da a todos abundantemente y sin reproche, y le será dada. Pero pida con fe, no dudando nada; porque el que duda es semejante a la onda del mar, que es arrastrada por el viento y echada de una parte a otra. No piense, pues, quien tal haga, que recibirá cosa alguna del Señor. El hombre de doble ánimo es inconstante en todos sus caminos (Sant. 1:5-8).

En su carta, Santiago escribió que cuando nos falta sabiduría, todo lo que necesitamos hacer es pedirle Dios. ¿Cómo nos da Dios sabiduría? Él nos habla. En otras palabras, cuando le pedimos a Dios sabiduría, estamos pidiéndole que se comunique con nosotros acerca de lo que debemos hacer en una circunstancia presente. El único requisito que veo en este pasaje es que la persona que lo pide debe hacerlo con fe, lo que significa que

**Cerrar los oídos espirituales a la convicción del Espíritu Santo nos impedirá escuchar todas las cosas que Dios nos está diciendo.**

deben creer que Dios les dará lo que pide. Esto es exactamente lo contrario de la perspectiva " tiene que ser especial o espiritual". Más tarde, en Santiago leemos la razón por la que no tenemos sabiduría es que no la pedimos (Sant. 4: 2).

Usted puede recordar que Jesús enseñó lo mismo de pedir en Mateo 7: 7-8.

> Pedid, y se os dará; buscad, y hallaréis; llamad, y se os abrirá. Porque todo aquel que pide, recibe; y el que busca, halla; y al que llama, se le abrirá.

La verdad es que algunos oyen Dios más que a otros porque piden con más frecuencia, no porque sean de alguna manera más especiales. Dios no tiene favoritos, pero él sí responde a los que le piden. Tal vez no estamos escuchando la voz de Dios a menudo, porque no le pedimos que hable con nosotros muy a menudo.

## Escuchar a Dios es un don Espiritual

Cuando empecé a escribir acerca de escuchar a Dios tomé la decisión de escribir dos libros. El primer libro es el que usted está leyendo, y el segundo libro se enfoca únicamente en el don de la profecía.

Parte de la razón por la que hice esta decisión se debió a la confusión que hay entre oír a Dios por nosotros mismos (comunicación relacional), y escuchar a Dios para los demás (dones proféticos y el ministerio).

Jesús dejó en claro que todo el que lo conoce debe escuchar su voz. "Mis ovejas oyen mi voz, y yo las conozco y ellas me siguen" (Juan 10:27). La profecía se produce cuando escuchamos a Dios para otra persona y lo compartimos con ella. Por lo tanto, la profecía se define como hablar a los demás lo que hemos oído de Dios. La diferencia es importante, sobre todo a medida que leemos la Biblia y definimos términos como profecía, profetas, etc.

Usted no tiene que ser un profeta o poseer el don de profecía para escuchar a Dios hablarle. Dios le ama y quiere comunicarse con usted en maneras profundas y significativas que no tienen nada que ver con los demás dones espirituales Cuando alguien busca escuchar a Dios sólo como un don espiritual, por lo general piensa que no puede oír a Dios y automáticamente esto les impide crecer en una relación real con Dios, que incluye la comunicación.

> # Si creemos que Dios sólo habla a la gente especial, entonces nosotros también creemos que Dios tiene favoritos entre sus hijos, lo cual es simplemente falso.

Este obstáculo se basa en ciertas enseñanzas con respecto a los dones espirituales con las que no estoy personalmente de acuerdo. Creo que todo el mundo puede oír a Dios y todos pueden profetizar (Hechos 2: 17-21; 1 Corintios 14: 1). Es lamentable que muchos de nosotros hayamos escuchado enseñanzas que limitan lo que Dios hace en y a través de nosotros. Si ha bloqueado de alguna manera el tema de escuchar de Dios debido a las enseñanzas pasadas sobre los dones espirituales, entonces le animo a examinar la diferencia entre escuchar a Dios por usted mismo y escuchar a Dios para los demás. Además, les animo a seguir evaluando cualquier enseñanza sobre los dones espirituales que restringe de alguna manera el ministerio del Espíritu a través de usted.

### Engañados por el Enemigo

Como veremos más en el capítulo 7, "Discerniendo la Voz de Dios", el enemigo trata de engañarnos con el fin de detener el crecimiento del Reino de Dios a través de nuestras vidas. No creo que nadie quiera ser engañado, y los que lo son no piensan que lo están porque esa es la naturaleza misma del engaño.

Hay dos maneras en que el engaño nos impide escuchar a Dios. La primera y más frecuente forma es a través falsa enseñanza. El apóstol

Pablo le advirtió a Timoteo varias veces sobre la enseñanza falsa y le exhortó a mantenerse firme en la sana doctrina (1 Tim. 4: 6). Pablo incluso fue tan lejos como para decir que algunas personas serían engañadas siguiendo "doctrinas de demonios". Pero el Espíritu dice claramente que en los postreros tiempos algunos apostatarán de la fe, escuchando a espíritus engañadores y a doctrinas de demonios" (1 Tim 4: 1). Hay espíritus demoníacos que se dedican a la promoción de la enseñanza falsa con el fin de confundir y engañar al Cuerpo de Cristo. La enseñanza falsa crea un efecto dominó con lo que creemos acerca de otras verdades importantes. Una persona engañada siempre piensa que tienen razón y todos los demás están mal, por lo que su misión se vuelve en iluminar a todos los demás. La triste realidad es que están equivocados, porque lo que ellos creen que está mal. No importa cuánto te esfuerces para mostrarles pasajes claros de la Biblia, no tienen ojos para verlos.

Mientras ministro en diferentes iglesias conozco a mucha gente. Me sorprende cómo algunas enseñanzas distorsionan la capacidad de los demás para escuchar a Dios. Hace unos años, fui invitado a ministrar a una iglesia para un fin de semana especial de conferencias. Nunca había estado en esa iglesia antes ni tampoco conocía a nadie de la iglesia antes de ir. Poco después de llegar, entré en el cuarto de oración para buscar a Dios antes de que comenzaran los servicios. Durante la oración me seguí sintiendo incómodo con lo que los demás estaban orando, y la forma en que estaban personalizando la voz de Dios a través de palabras proféticas. Después de nuestro tiempo de oración, mi amigo y yo participamos en una conversación con uno de los intercesores que estaba claramente confundido. Empezó diciéndonos que varias personas de la

**El escuchar a Dios para su propia vida está basado en su relación, no en un don espiritual para el ministerio.**

iglesia le habían dicho que no necesitaba la Biblia porque Dios le hablaría directamente a él.

No es de extrañar que estuviéramos discerniendo tantas cosas extrañas durante nuestro tiempo en esa iglesia. Habían adquirido una falsa enseñanza de que el Espíritu Santo sería su única guía, suplantando la Biblia, lo que es un grave error. Pasamos mucho tiempo tratando de ayudar a esta persona a entender la importancia de la Biblia y cómo Dios establece las cosas con su palabra y da detalles por su Espíritu. Esta falsa enseñanza no estaba solamente obstaculizando a la gente de escuchar a Dios, sino que también fue la apertura a toda clase de otras enseñanzas engañosas y profecías.

Conocer, estudiar, amar, y permanecer dedicado a la palabra de Dios nos mantendrá lejos de una cantidad increíble de engaño.

Otra manera en que podemos ser engañados y obstaculizados de oír la voz de Dios es a través de falsas profecías. En primer lugar, nunca debemos tomar lo que otro dice como que es toda la verdad, porque también tenemos la Biblia y el Espíritu Santo para ayudarnos a comprender e interpretar las palabras de profecía. Debemos considerar y orar acerca de lo que otros puedan decir de nosotros, incluso cuando afirman haber oído de Dios, porque no son Dios, por lo que sus palabras deben sopesarse cuidadosamente, independientemente de cuan exactos puedan estar.

He escuchado al menos cinco personas decirme que creían que el Señor les dio la confirmación para divorciarse de sus cónyuges, pero sin ninguna base bíblica alguna. Sin importar lo que les dije, no pude hablar con ellos para quitarles esa idea. Cuando alguien recibe una palabra falsa como verdad, esa persona es engañada y por lo tanto es estorbada de escuchar a Dios. "Se supone que debo dejar esta iglesia." "Dios me ha llamado a dejar de trabajar y entrar al ministerio a tiempo completo." "El Señor me dijo que no me debo reconciliar porque la otra persona va a venir a mí primero." He escuchado todas estas declaraciones, y muchas más. Las falsas profecías no siempre son malas o demoníacas, pero si no se ajustan a la Biblia, aun así no son de Dios. Una vez más, una gran cantidad de este tipo de palabras podrían ser fácilmente descartadas cuando son discernidas a través de la verdad de la Biblia.

Si escuchamos de parte del Señor para otros, debemos tener cuidado de que lo que oímos y hablamos se fundamente en la Escritura y sea verdaderamente del Espíritu Santo. Me apena ver a la gente comunicarse en nombre del Señor, cuando en realidad es algo que están sintiendo en sus propias emociones, en lugar de algo que están escuchando de parte del Señor. El enemigo no es siempre el que nos engaña; a veces es nuestra condición emotiva la que nos lleva a pensar que si nos sentimos de cierta manera Dios debe sentir lo mismo. En el Antiguo Testamento, Dios reprendió a la gente por hablar palabras falsas que provenían de sus propias mentes (Jer. 14:14). Debemos tener cuidado de que lo que estamos escuchando y hablando sea verdad que viene de Dios, porque si no lo es podemos ser engañados y obstaculizados de lo que Dios está diciendo en realidad.

## Orgullo Religioso

Cuando tenemos orgullo religioso solemos anular la voz de Dios por no dar la bienvenida a la voz de los demás o de Dios. Pensamos que ya tenemos todo resuelto. Una persona orgullosa puede querer escuchar a Dios, e incluso actuar como si Dios le hubiera hablado. Sin embargo, es la mente de esa persona la que realmente está haciendo el hablar. El orgullo es la naturaleza del diablo y fue la esencia de su caída (Is. 14: 12-14). Cuando somos orgullosos tomamos la naturaleza del enemigo y vivimos en oposición a la voz de Dios. "PERO ÉL DA MAYOR GRACIA. POR ESTO DICE: DIOS RESISTE A LOS SOBERBIOS, Y DA GRACIA A LOS HUMILDES" (Sant. 4: 6.).

Como pastor, hay veces en que estoy obligado a dar corrección a personas con el fin de lograr su sensibilización y cambio. Un día me encontré con una persona para discutir en oración algunos puntos de vista bastante grandes que tenía sobre su carácter y comportamiento. Mientras hablábamos, el Señor me dio la visión de un sobre siendo entregado a ellos. Mientras recibía el sobre, la persona rápidamente estampó en la parte de arriba "regresar al remitente" y rápidamente se lo devolvió. La visión terminó y mis ojos fueron abiertos al orgullo de la persona sentada delante de mí.

El resto de nuestra conversación reflejó por completo la visión que el Señor

# El engaño, como el cáncer, no dejará de crecer hasta que consuma y finalmente destruya al cuerpo entero.

me dio. Aunque esta persona escuchó lo que tenía que decir, no me podía oír porque su orgullo estaba en el camino. Me alejé de aquel encuentro muy afligido porque sabía que su respuesta hacia mí era sólo un reflejo de su respuesta hacia Dios.

Este tipo de vida lleva a la perdición (Prov. 16:18).

Vamos a destruir nuestro potencial, nuestros destinos y nuestros propios fines sin el consejo de Dios en nuestras vidas. El orgullo con frecuencia se interpone en el camino de recibir lo que necesitamos saber de Dios y los demás. Una forma de saber si su orgullo está bloqueando la voz de Dios es revisar con qué frecuencia, o lo poco, que busca (Biblia) o pide (orar) por la guía de Dios en su vida. Un corazón humilde que recibe de Dios se revela en la frecuencia de nuestra búsqueda y peticiones.

## Obedeciendo lo que Dios ya dijo

Todos queremos saber lo que Dios nos está diciendo, pero no debemos pasar por alto lo que ya nos ha dicho. En mi círculo de influencia confían en mi como alguien que puede discernir la voz de Dios, por lo que regularmente me reúno con la gente para tamizar a través de lo que ellos creen que Dios podría estar diciéndoles. Al escuchar las muchas historias, una de los puntos principales que pregunto es: "¿Qué es lo último que Dios le dijo que hiciera?" La respuesta a esta pregunta puede traer la confirmación o el final de su búsqueda actual por dirección.

Creo que Dios nos habla a diario, sobre todo en el contexto del diálogo relacional en el que podríamos oír cualquier cosa desde "Te amo", hasta "Profundice un poco más en ese pasaje." Sin embargo, a medida que tratamos de escuchar a Dios por palabras de dirección, debemos tener cuidado de que no estar haciendo otra cosa, evitando o haciendo caso omiso de lo que ya nos ha dicho. Además, debemos ser conscientes que el enemigo intentará frustrar nuestro sentido de dirección lanzando una palabra de confusión que, si no se detecta y es tratada, puede enviarnos en una cacería inútil.

Valoro el ministerio profético tanto como cualquiera, pero cuando hablo con personas que recibieron 13 palabras direccionales durante una conferencia, algo está profundamente mal. Cuando nos fijamos en las escrituras vemos cómo el Señor daba una palabra direccional prevaleciente a la vez, de modo que el individuo podía obedecer claramente la voz de Dios. Estoy seguro de que hay excepciones a esto, pero Dios normalmente habla una cosa a la vez, en vez de varias palabras direccionales a la vez.

Piense en lo que Dios le dijo a Noé. "Haz para ti un arca de madera de gofer..." (Génesis 6:14). Siguiendo esta palabra Dios le habló a Noé en detalle acerca de qué tipo de barco iba a construir, lo grande que iba a ser, e incluso por qué lo estaba construyendo. Se estima que Noé pasó entre setenta a cien años construyendo el arca. ¿Qué hubiera pasado si en el año treinta Noé decidía buscar a Dios por otra palabra direccional? ¿Qué hubiera pasado si Noé se cansaba de trabajar en el arca, tal vez estando un poco desanimado con su progreso, y quería saber si Dios había planeado otra cosa para su vida? ¿Qué hubiera pasado si Noé asistía a la conferencia profética local y varias personas le daban palabras acerca de cómo iniciar múltiples negocios y la prosperidad resultante que recibiría para bendecir a miles de personas?

**Las personas orgullosas no piden ayuda o consejo de otros, incluyendo de Dios.**

Pienso que si Noé venía a Dios y le pedía otra palabra direccional, el Señor probablemente le hubiera dicho: "Noé, termina el barco." Es posible que impidamos escuchar a Dios hablarnos si no obedecemos completamente lo que Dios ya dijo.

Un buen ejemplo de los peligros en no seguir adelante con lo que Dios ya nos dijo se encuentra en 1 Reyes 13. El Señor envía un profeta anónimo al rey Jeroboam en Israel para predecir la venida de un rey justo llamado Josías. Esta noticia enojó al rey Jeroboam, por lo que trató de matar al profeta, pero Dios sobrenaturalmente lo protegió, confirmando que su palabra era verdad.

Dios le dio instrucciones específicas al profeta acerca de cómo iba a regresar a casa después de cumplir su misión. Él dijo: "Porque así me está ordenado por palabra de Jehová, diciendo: No comas pan, ni bebas agua, ni regreses por el camino que fueres."(1 Rey. 13: 9) Sin embargo, en su viaje de retorno a casa, un profeta anciano se acercó a él y le dijo:

> Y el otro le dijo, mintiéndole: Yo también soy profeta como tú, y un ángel me ha hablado por palabra de Jehová, diciendo: Tráele contigo a tu casa, para que coma pan y beba agua. Entonces volvió con él, y comió pan en su casa, y bebió agua. (1 Reyes 13:18-19).

El joven profeta sabía que no tenía que parar y comer mientras estuviese en su misión, pero permitió que la supuesta "palabra" de otro profeta le impidiera obedecer lo que Dios ya le había dicho. Como resultado de hacer caso a la mentira, el joven profeta perdió la vida (1 Reyes 13: 20-25). Si bien esto puede parecer extremo, nos muestra la importancia de obedecer lo que Dios ya nos ha dicho.

## Hay un peligro en la constante búsqueda de palabras direccionales del Señor.

A menudo soy la última persona en la línea de oración lista para recibir otra palabra profética de Dios por encima de las quince que ya tengo. En cambio, con frecuencia oro a Dios para que me dé la gracia que necesito para cumplir lo que él ya me ha dicho que haga. Debemos asegurarnos que estamos tratando de obedecer lo que Dios ya nos ha dicho antes de buscar dirección adicional de parte del Señor. Es importante ser agradecido por todo lo que Dios pueda decirnos personalmente, en lugar de convertirnos en adictos a la "palabra" más nueva de Dios para nosotros. Dios nos dirá exactamente lo que necesitamos saber durante todo nuestro recorrido con él. Recuerde, escuchar su voz es un medio para lograr un objetivo, no el objetivo en sí. El objetivo es que Cristo sea formado en nosotros y que lleguemos a cumplir todos los propósitos que Dios tiene en mente para cada uno de nosotros mientras estemos en esta tierra.

## Capítulo 6 – Preguntas de Repaso

1. ¿Fue capaz de identificar algún tipo de obstáculo en este capítulo que haya afectado su capacidad para escuchar a Dios? ¿Cuál es?

2. ¿Ha notado algunos otros obstáculos que no se mencionan en este capítulo? Si es así, ¿cómo los describiría?

3. ¿Qué le animó más de este capítulo y cómo va a aplicarlo a su vida?

# PARTE III

## LA VOZ DE DIOS: DISCIRNIENDO, RESPONDIENDO, Y BUSCANDO

# CAPÍTULO 7
# DISCIRNIENDO LA VOZ DE DIOS

La pregunta más común que escucho relacionada con escuchar a Dios es: "¿Cómo sé si lo que estoy escuchando, pensando, o viendo es de Dios y soy sólo yo mismo?" Esta es una gran pregunta para la que hay respuestas sólidas. Sin embargo, como ocurre con muchas grandes preguntas, hay preguntas preliminares a las que las respuestas necesitan ser establecidas desde una perspectiva holística, para que podamos entender la pregunta más común con la que empezamos. En este libro he dicho en numerosas ocasiones que Dios habla a todos, pero eso no quiere decir que siempre discernimos los momentos particulares cuando habla. Por lo tanto, debemos conocer y comprender el proceso por el cual determinamos si algo es de Dios o no.

Vivimos en un mundo lleno de ruido resonando a todo volumen en la cara todo el tiempo. Incluso me atrevería a sugerir que vivimos en un mundo lleno de "voces" que constantemente llaman nuestra atención. En este sentido, una "voz" es una voluntad expresada, un deseo, una opinión o alguien buscando una respuesta de parte tuya. La mayoría de gente tiende a pensar que aquellos que escuchan múltiples voces están locos o son de alguna manera anormales, y yo entiendo que puede darse el caso.

Sin embargo, con esta definición de una "voz", creo que es seguro decir que escuchamos múltiples voces a diario. ¡Con razón que hemos tenido dificultad escuchando, entendiendo y discerniendo a la voz de Dios!

# Una voz representa la influencia de algo o alguien y busca persuadir.

Cuando cumplí diecinueve años, un amigo me ayudó a conseguir un trabajo en un banco local. Terminé trabajando allí por un par de años, pero empecé como cajero haciendo depósitos, cambiando de cheques, y contando dinero cada día. El dinero falso era cada vez más frecuente con la aparición de impresoras de alta calidad. En respuesta, el banco hacía que todos los cajeros pasáramos a través de una formación básica para identificar el dinero falso. Nos mostraron tres maneras de ayudar a determinar si el dinero era real o falso. La primera prueba para cada billete estaba relacionada con el papel. El dinero real tiene un tipo específico de papel, y la mayoría de los billetes falsos no pueden acercarse a la misma textura. Para la segunda prueba, tomaríamos lo que se llama un marcador de falsificaciones y dibujaríamos una línea corta a través del billete. Si el color de la línea era de color amarillo, entonces lo más probable que éste era un billete real, pero si la línea era negra, entonces podría ser una falsificación. Para la prueba final, habíamos aprendido a identificar las características de seguridad en los billetes. La primera característica de seguridad consistía en un hilo incrustado que iba desde la cima del billete hasta el fondo. Si el billete no tenía esta característica de seguridad, entonces era sin duda falso.

Este proceso de distinguir entre un billete real y falsificado es similar al proceso de discernir la voz de Dios. El banco pasó muy poco tiempo enseñándonos acerca de los detalles de billetes falsos. Pasamos la mayor parte de nuestro tiempo aprendiendo como lucía y se sentía un billete auténtico para que cuando llegara una falsificación podamos detectarla rápidamente y no tratarla como un billete real. Cuando buscamos escuchar al Señor, debemos estar absortos en conocer y aprender de su voz a través de una relación con él . Entonces, cuando otra voz intenta disuadirnos, podemos identificarla rápidamente y alejarnos de su influencia confiadamente.

Así como hay medidas para determinar los billetes auténticos y los falsificados, así mismo hay pruebas para discernir y abrazar la voz auténtica de Dios al tiempo que rechaza las falsificaciones en el camino. Cuando una persona dice, "Estoy tratando de discernir lo que Dios me está diciendo", quieren decir que ellos están tratando de examinar cuidadosamente todos los pensamientos, sentimientos, miedos y otras voces con el fin de hacer lo que ellos creen que Dios está diciendo. Discernir significa distinguir una cosa de otra. En el proceso de descubrir lo que Dios nos está diciendo, recordemos que el objetivo es conocer la voz de Dios, no convertirnos en expertos en todas las otras voces que se arremolinan a nuestro alrededor. Asimismo, debemos llegar a familiarizarnos un poco con las voces comunes que no son Dios, al menos en la medida en que podamos identificarlas y desecharlas para que no influyan en nuestras decisiones y la perspectiva global.

En mi experiencia con Dios y el ministerio con la gente, he llegado a reconocer varias voces que comúnmente se dan. Mientras los términos que uso pueden diferir de los suyos, el carácter y los conceptos siguen siendo los mismos. Conocer y aprender a identificar estas voces le ayudarán a discernir la voz de Dios en su vida.

## La Voz del Enemigo

Cuando se trata de la voz del enemigo hay varias cosas que tenemos que entender. En primer lugar, el diablo no es igual a Dios de ninguna manera. Mientras que él tiene algo de poder, él tiene límite como un ser creado y de ninguna manera presenta los mismos atributos que Dios posee. Por ejemplo, el diablo no es omnipresente como Dios. La presencia de Dios puede estar en todas partes al mismo tiempo, pero el diablo sólo puede estar un lugar al mismo tiempo. Esto debe parecer obvio, pero la forma en que algunos hacen referencia a las actividades del diablo, dan la idea de que podría ser omnipresente.

Cuando hablamos de la voz del enemigo, no nos referimos sólo al diablo. El diablo trabaja con y entre una cohorte demoníaca involucrada en oponerse a la obra de Dios en la humanidad (Ef. 6:12). Además, el diablo es el líder, planificador y autor intelectual de las voces demoníacas que entraremos en contacto de vez en cuando (Ef. 6:11). Si bien no queremos dar crédito al diablo y espíritus demoníacos, no debemos ser ignorantes de su plan de alejarnos de la voz de Dios.

El apóstol Pablo reconoció claramente que el diablo tenía un plan en contra de lo que Dios estaba haciendo (2 Cor. 2: 11). Lo mismo es cierto para nosotros.

Hay momentos en que la gente me ha dicho, "Nunca he experimentado la guerra espiritual o escuchado la voz del enemigo."

Si eso es cierto, es porque probablemente que el enemigo no te ve como una amenaza, o tú no estás plenamente consciente de cómo él busca venir contra ti.

> **La verdad es que Dios tiene un plan para su vida y el enemigo tiene un plan en contra de su vida.**

En las escrituras, una de las principales formas en que el enemigo ataca el pueblo de Dios es mediante la distorsión de lo que Dios ha dicho (por ejemplo, Génesis 3, 1-5; Mateo 4, 1-11). Hay dos formas principales de que vamos a encontrarnos con la voz del enemigo. La primera es a través de nuestros pensamientos. El enemigo transmite pensamientos en nuestras mentes con el fin de distraer, convencer, o engañar. Esto se remonta a lo que discutimos en el capítulo cuatro, no todos nuestros pensamientos se originan desde dentro. Estos pensamientos pueden ir de declaraciones como: " Sólo cede un poquito, nadie va a saber ", o " Mátate." Por ejemplo, el enemigo tratará de sembrar pensamientos en nuestras mentes con el fin de convencernos de que se trata de nuestros propios pensamientos. Cuando creemos las mentiras del enemigo, el mismo enemigo está logrando tener éxito en influenciarnos. ¡Necesitamos discernimiento y la verdad de Dios para identificar las mentiras y pararnos firme en contra del enemigo!

La segunda forma principal en que vamos a encontrar la voz del enemigo es a través de las voces de otras personas físicas. A veces, una persona va a decir o hacer algo con nosotros que es inspirada por demonios. El apóstol Pablo se refiere a la influencia del enemigo detrás de las acciones de aquellos que lo estaban persiguiendo al escribir a la iglesia de Éfeso.

> Porque no tenemos lucha contra sangre y carne, sino contra principados, contra potestades, contra los gobernadores de las tinieblas de este siglo, contra huestes espirituales de maldad en las regiones celestes (Efes. 6:12).

No estoy sugiriendo que una persona tiene que ser poseída para hablar un pensamiento demoníaco, sino que pueden ser totalmente inconscientes del origen de sus palabras, y por ignorancia se convierten en vasijas para el enemigo. A menudo, la voz del enemigo vendrá en ambos sentidos al mismo tiempo. La siembra de pensamientos en nuestra mente es un ataque directo, y las palabras de una persona sin discernimiento es un ataque indirecto. El ataque directo es como plantar semillas en nuestra mente, mientras que el ataque indirecto riega las semillas.

Cuando era joven me preguntaban con regularidad: "¿Qué te pasa?" Yo estaba normalmente imperturbable, y muchos pensaban que estaba enojado o triste. Por lo general, yo no era ni lo uno ni lo otro, sino porque juzgamos todo por lo que vemos, muchos asumían esto de mí, lo que me hacía sentir incomprendido. A medida que fui creciendo, seguí escuchando comentarios acerca de mis expresiones faciales poco emocionales, lo que me valió una reputación de idiota. Siendo aún un joven cristiano comencé a escuchar estas palabras en mi mente, "Eres un idiota", o, "A ti no te interesa la gente", y, "Tú no amas."

Lo que comenzó como preguntas de otros se convirtieron en constantes bombardeos de pensamientos del enemigo. Cuando me convertí en pastor, empecé a compararme con otros hombres de Dios que parecían muy cariñosos. Como si la combinación de los pensamientos del enemigo y mis propias inseguridades no fueran suficientes, empecé a escuchar que las personas decían cosas similares de mí también, pensé "Yo no soy cariñoso y no debería ser un pastor". Con otros acusándome con palabras del enemigo, yo estaba totalmente abrumado.

Un día estaba en casa de un amigo al que le ayudaba a remodelar su cuarto de baño, y mientras de rodillas al instalando su piso, algo maravilloso me pasó. En ese momento, estaba abrumado con los mismos viejos pensamientos, "No amas como pastor fulano de tal...". Mientras esto pasaba, escuché al Señor hacerme una pregunta: "¿Qué es el amor, Ben?" ¡Pensé en esto por un momento, y luego me di cuenta! El amor no se trataba de meras palabras o expresiones faciales. El amor era considerar a los demás como superiores a sí mismo en lo que dices y haces. "Yo soy una persona amorosa, es por eso que estoy aquí ayudando a mi amigo a remodelar su cuarto de baño," dije en voz alta! Mientras hablaba, era como si el Señor simplemente me sonriera y me guiñara el ojo.

La combinación de las mentiras del enemigo y las voces de los demás habían formado una perspectiva falsa sobre mi identidad, en la cual estaba completamente encerrado. La parte horrible, era que todo era una mentira. Cuando el Señor me hizo una pregunta sobre el amor, él rompió el poder de la mentira del enemigo e impartió un nuevo discernimiento que me protegió de tal engaño.

**Si usted ha comprado las mentiras del enemigo, ¡espero que haya guardado el recibo porque va a tener que devolverlas!**

La voz de un individuo representa siempre su carácter. Del mismo modo, la voz de Dios siempre estará en concordancia con su carácter, y la voz del enemigo nacerá de su carácter. La Biblia revela la naturaleza de nuestro enemigo, por lo que necesita saber lo que se dice acerca de él, con el fin de discernir mejor su voz y evitar su influencia.

En Apocalipsis 12: 9-10 leemos que el diablo es un acusador. En Génesis 3, que tienta a Adán y Eva a desobedecer a Dios, como lo hace Jesús en Mateo 4. Si usted lee los dos relatos usted no sólo encontrará que el diablo es un tentador, pero también trata de distorsionar la palabra de Dios, para el que está siendo tentado acepte y crea menos de lo que Dios ha dicho. El diablo es un mentiroso y el padre de la mentira (Juan 8:44). El diablo es un pecador y un promotor del pecado para todos los que escuchen su voz (1 Juan 3: 8). Este es el carácter del diablo y así es como suena su voz: acusación, condenación, mentira, falsedad, tentación, odio, desobediencia, lujuria, orgullo, y similares. Recuerde, el enemigo no nos puede obligar a hacer nada, así que usa el engaño y la seducción para manipularnos. Esto significa que no siempre vamos a detectar fácilmente sus mentiras con las viene contra nosotros. Por alguna razón, la mayoría de la gente tiene la idea de que el diablo es un ser malvado y cornudo, tan desagradable que deberíamos ser fácilmente capaz de discernir sus obras y palabras. Sin embargo, la Biblia nos dice que el enemigo se revela de manera diferente de lo que sugieren las películas: "No es de extrañar, porque el mismo Satanás se disfraza como ángel de luz" (2 Corintios 11:14.).

Jesús ha derrotado al diablo y sus fuerzas demoníacas a través de su muerte, sepultura y resurrección. Como cristianos, estamos firmes en la victoria de Jesucristo y nunca debemos temer al diablo o sus demonios. Sin embargo, debemos estar conscientes de que nuestro enemigo, aunque derrotado, todavía buscan oportunidad para destruirnos si se lo permitimos. El apóstol Pedro nos exhortó a ser conscientes de que el enemigo de tal manera que podamos resistirlo. Que seamos capaces de discernir la actividad del enemigo a fin de evitar su influencia por completo, a medida que buscamos la voz del Señor.

Sed sobrios, y velad; porque vuestro adversario el diablo, como león rugiente, anda alrededor buscando a quien devorar; al cual resistid firmes en la fe, sabiendo que los mismos padecimientos se van cumpliendo en vuestros hermanos en todo el mundo (1 Pedro 5:8-9).

## La Voz de la Carne

Usted es probablemente consciente de que incluso si usted ha dado su vida entera a Dios, hay una parte de usted que todavía quiere rebelarse y actuar de forma egoísta. Antes de que nos convirtamos en cristianos, nuestro egocentrismo era inmenso, en busca de una infinita satisfacción personal. Como cristianos, somos nacidos de nuevo, llenos del Espíritu Santo, y somos capaces de dar muerte a nuestras viejas costumbres egoístas que antes nos dominaban. Nuestra carne permanece infectada con el mismo apetito pecaminoso que una vez controló nuestras vidas. A pesar de que ya no nos domina, este apetito definitivamente llama nuestra atención todos los días.

El apóstol Pablo escribió largo y tendido sobre el apetito de la carne. En la mayoría de sus cartas se encuentra algún tipo de exhortación a las iglesias a "andar en el Espíritu" y no en la carne (Gál. 5:16). En otras palabras, tenemos que caminar bajo la influencia, o la voz del Espíritu y no de la carne, en todo lo que pensamos, decimos y hacemos.

**Dios nos ha sacado de una vida escuchando nuestras propias voces a una vida para escuchar su voz.**

La voz de la carne buscará continuamente influenciarnos para poner nuestros intereses antes de los de Dios y de las otras personas.

En mi opinión un gran número de cristianos no disciernen la voz de la carne y en consecuencia están viviendo bajo su influencia, sin ser conscientes de ello. Como cristianos estamos llamados a crecer a través de la renovación de nuestras mentes (Rom. 12:1-2), lo que sólo puede ocurrir a través de una consistente relación con el Señor por el estudio de su palabra y la oración diaria. Sino escogemos buscar intencionalmente a Dios para ser influenciado a diario por su voz, terminaremos escuchando nuestras propias voces sin darnos cuenta. Si usted tiene tendencia a dejar de pasar tiempo con Dios, déjeme provocarle diciéndole que, para poder discernir la voz de Dios en su vida, necesitará un cambio.

Por favor, entienda, todos nosotros nos encontramos en una batalla contra nuestra carne para que el Espíritu de Dios tome el control (Gal. 5:17). Sin embargo, solo podremos ganar la batalla y vencer a la carne si estamos completamente rendidos al poder del Espíritu Santo. Y esto no ocurre sin invertir en una relación diaria con Dios, confiando en él por lo que nosotros no podemos hacer.

Creo que la voz de la carne está muy bien representada en la parábola de Jesús de Lucas 8. Jesús dijo que su reino era como un hombre que sembró semilla que cayó sobre diferentes tipos de tierra. Los cuatro tipos de tierra representan cuatro tipos diferentes de corazón. Algunas de estas semillas cayeron en medio de espinos, que eventualmente ahogaron la semilla y la hicieron infructuosa. Jesús explica este particular tipo de tierra de esta manera.

> La que cayó entre espinos, éstos son los que oyen, pero yéndose, son ahogados por los afanes y las riquezas y los placeres de la vida, y no llevan fruto (Lucas 8:14).

Los afanes, las riquezas y los placeres de la vida son el centro de la voz de la carne. Jesús nos dijo en este pasaje que el poder de esta voz es tan fuerte que ahogará su voz (semilla) si nosotros lo permitimos. Debemos aprender a discernir la voz de la carne y derribar el egoísmo en nuestras vidas; de otra manera no podremos agradar a Dios (Rom. 8:5-8).

## La Voz de Nuestro Pasado

Usted debe recordar la historia en la que, durante un juego de béisbol, fui golpeado por un bate a un lado de la cabeza, causándome un daño permanente en el oído derecho. Este evento de mi pasado impidió mi habilidad física para oír bien actualmente. Creo que lo mismo es verdad a nivel espiritual. Los eventos difíciles y trágicos del pasado pueden impactarnos tan dramáticamente que hoy en día tenemos dificultad en oír la voz de Dios. Tal vez su pasado esté tan lleno de toda clase de cosas terribles que usted mismo ha hecho o cosas que han sido hechas contra usted. Usted tiene que estar consciente que tales experiencias pueden impedirle escuchar a Dios y moverse hacia adelante con Él.

Jesús dijo a aquellos que lo seguirían, "Ninguno que poniendo su mano en el arado mira hacia atrás, es apto para el reino de Dios" (Lucas 9:62). Siempre habrá la tentación de mirar hacia atrás en lugar de poner atención en la invitación de Jesús aquí y ahora.

Estamos llamados a hacer cosas importantes, no por lo que tenemos o hemos hecho, sino por lo que Jesús ha hecho.

Cuando le damos nuestras vidas al Señor y nos arrepentimos de nuestras vidas antiguas, nos convertimos en seres nuevos en todo aspecto. "De modo que si alguno está en Cristo, nueva criatura es, las cosas viejas pasaron; he aquí todas son hechas nuevas" (2 Cor. 5:17). Hemos sido perdonados y limpiados de todas las cosas viejas, y la Biblia dice que Dios ya no recuerda más nuestros pecados (Heb. 10:16-18).

> **El enemigo tratará de usar la voces de nuestro pasado para mant enernos viviendo vidas insignificantes.**

Moisés era un asesino, Abraham un mentiroso, Pedro un cobarde, Pablo un asesino y Mateo un extorsionista. A Dios le place usar a aquellos cuyos pasados fueron llenos con cosas opuestas a las que Dios los llamó hacer. La voz de pasado tratará de recordarnos lo que éramos y lo que hicimos. Cada vez que Dios te habla, el enemigo inmediatamente trata de descalificarte al recordarte lo que has hecho. Pero tú le tienes que recordar al enemigo lo que Jesús ha hecho por ti. Y adelante con los asuntos del reino de Dios.

## La Voz del Mundo

Así como somos llamados a amar a la gente del mundo como Jesús lo hace (Juan 3:16), también estamos llamados a abstenernos de las cosas del mundo.

> No améis al mundo, ni las cosas que están en el mundo. Si alguno ama al mundo, el amor del Padre no está en él. Porque todo lo que hay en el mundo, los deseos de la carne, los deseos de los ojos, y la vanagloria de la vida, no proviene del Padre, sino del mundo. Y el mundo pasa, y sus deseos; pero el que hace la voluntad de Dios permanece para siempre. (1 Juan 2:15-17)

La voz del mundo es la perspectiva no cristiana colectiva que es promovida por los medios culturales generalizados tales como música, películas, el Internet, radio, libros, la política, etc. El único reino que rinde honor un cien por ciento al nombre y propósitos de Jesús, es el Reino de Dios. Cualquier otro reino no cumplirá y comprometerá la voluntad soberana, los propósitos y las perspectivas del Rey Jesús.

La Biblia nos llama a permanecer sin mancha del mundo (Sant. 1: 27), y estar en él pero no pertenecerle a él (Juan 17: 13-19). También sabemos que el diablo es el príncipe de este mundo (2 Cor . 4: 4). ¿Qué significa todo esto? Esto significa que la principal influencia del mundo circundante promoverá la carne y la rebelión a un Dios santo. Esta voz no siempre será evidente por lo que será necesario discernimiento para detectar su influencia.

Un día yo estaba conduciendo en la autopista de Los Ángeles a Hollywood. No siendo de California, presté especial atención a todos los anuncios de los carteles publicitarios. Conté dos carteles dedicados a clubes nocturnos, y al menos tres de ellos promovían algún tipo de bebida alcohólica. Estoy seguro que la mayoría de las personas que conducen allí cada día, no piensan nada de ellos, pero a mí si me apenó verlos.

Las anuncios publicitarios de clubes nocturnos no tenían ningún gráfico sexual o lenguaje sexual explícito, más bien anunciaban un discreto "club de caballeros", de tal manera que se podría pensar que era un lugar aceptable, casi con clase, donde los hombres podrían ir a pasar un buen rato. Un gran lugar, ¿verdad? Un lugar maravilloso para los verdaderos caballeros, ¿no? ¿No es un lugar donde los maridos van y engañan a sus esposas, o donde las mujeres se venden y dejan que sus cuerpos definan su valor? ¿No es un lugar donde los jóvenes aprenden una intimidad sexual falsa, sólo para poner eso en sus dormitorios de matrimonio, confundiendo a sus esposas?, ¿no?

La voz del mundo busca cubrir la verdad. Un club nocturno es un lugar de diversión para caballeros. En un anuncio, un licor fuerte es un Lamborghini ™ con dos personas atractivas paseando por la ciudad. En realidad, nadie cree que un club nocturno es un gran lugar para toda la familia y nadie cree que si beben un quinto de vodka y fuman cigarrillos se verán como la gente en los carteles publicitarios. ¡Lo que no está en estas imágenes es la verdad!

La voz del mundo nos está diciendo qué pensar y busca redefinir la verdad cubriéndola con mentiras. Estoy sorprendido de que la mayoría de los cristianos escuchan música de manera indiscriminada, música que glorifica claramente los pecados por los que Jesús murió para erradicar de nuestras. La música es una voz. Los medios de comunicación son una voz. Lo que vemos, escuchamos y leemos, o bien influirá en nosotros con la verdad o influirá sobre nosotros con mentiras. Una persona que dice no ser influenciado por esas cosas ya no está distinguiendo la voz del mundo de la voz de Dios.

Si vamos a distinguir la voz del Señor de la voz del mundo, tendremos que ser radicales en nuestro enfoque de las cosas terrenales. Lo último que he leído, el estadounidense promedio mira dos a tres horas de televisión al día. Compare esto con la última estadística en que el promedio de cristianos evangélicos estadounidenses leen sus Biblias una vez a la semana. Esto nos debe dar convicción. ¿Cómo podremos distinguir la voz del Señor de la voz del mundo cuando nuestro tiempo lo damos a todo menos a Dios? La respuesta es simple: no podemos. Si usted le da demasiado tiempo a los medios de comunicación en su vida, encarecidamente le insto a que ayune de ellos por un tiempo y en algunos casos totalmente, dependiendo del contenido de los mis-

# En nuestra cultura, la voz del mundo es extremadamente alta, y la única manera de reducir el volumen es literalmente hacer algo al respecto.

mos. Muchas gente a la que animé a crear más espacio para la voz de Dios, cuentan que empezaron a escucharlo como nunca antes.

Debemos hacer el hábito de apagar nuestros televisores, apagar nuestros equipos de sonido en los carros, y desconectar nuestros celulares. La voz de Dios, que ha estado allí todo el tiempo, se volverá una voz alta y clara, ya que intencionalmente rechazamos la voz del mundo.

## La Voz de la Multitud

¿Alguna vez ha estado en un grupo de personas en el que todos querían hacer lo mismo mientras que usted era el único que no quería? Mientras ministraba en la prisión, no puedo decirle cuántas historias escuché de personas que entraron en un auto con las personas equivocadas en el momento equivocado y que cambiaron su vida para lo peor. Existe la presión de grupo, diferente a cualquier otra, que promueve hacer y decir ciertas cosas. A menos que usted sea una persona fuerte y desee ser ridiculizada o aún peor, usted probablemente será empujado a hacer cosas que usted no quiere hacer. Esto es a lo que yo llamo la voz de la multitud.

La voz de la multitud es el modelo de "la mayoría manda" que tiene el poder de persuadir a otros dentro de la multitud, sea que ellos les guste o no. En la Biblia, cuando la multitud se reunió durante la sentencia de Jesús, ellos colectivamente insistieron que Pilato crucificaré a Jesús.

> Pilato les decía: ¿Pues qué mal ha hecho? Pero ellos gritaban aun más: ¡Crucifícale! Y Pilato, queriendo satisfacer al pueblo, les soltó a Barrabás, y entregó a Jesús, después de azotarle, para que fuese crucificado (Marcos 15:14-15).

Se desprende de los relatos del evangelio que Pilato no comprendía por qué los judíos querían a Jesús muerto, pero la voz de la multitud era tan fuerte que él cedió a la presión e hizo que crucificaran a Jesús.

Varias veces en el libro de Hechos vemos a las multitudes que se agitan contra los que predican el evangelio. Siempre había grupos en diversas ciudades que incitaban a la multitud contra Pablo y sus compañeros (Hechos 14:19; 16:22; 17:13; 21:27). Estoy seguro de que había mucha gente en estas multitudes que se oponía a lo que se decía o no tenía opinión, sino porque tenían miedo de enfrentarse a la multitud, la presión hizo que se convirtieran en otra voz dentro de esa multitud.

**El Señor a menudo nos hablará de algo que va contra del entendimiento de lo que todos piensan o dicen.**

Si apagamos la voz de Dios y permitimos que las presiones de la voz colectiva a nuestro alrededor desautoricen a Dios, nos haremos más sordos a su voz y tendremos lucha en discernir lo que Él está diciendo. No debemos permitir que la voz de la multitud nos presione a ser otra persona que acepta lo que todos quieren. Si sabemos que algo no es correcto, necesitamos decirlo, esto producirá un incremento en el discernimiento de la voz del Señor

## La Voz del Señor

Como dije anteriormente, nuestra meta no es convertirnos en expertos en todas las otras voces alrededor nuestro, sino más bien estar más familiarizados con la voz del Señor en nuestras vidas diarias.

La voz de Dios será como la de un Buen Padre (Mat. 7:11), extremadamente amorosa (1 Juan 4:16), y no importa lo que Él diga, será para nuestro bien (Rom. 8:28-29).

Si bien esto debería ser evidente,

> La voz de Dios estará siempre en línea con su carácter, que podemos descubrir claramente a través de la escritura.

hay que recordar quién sigue a quién. Para discernir correctamente la voz del Señor, no estamos buscando lo que nos hace sentir bien o lo que suena más cercano a lo que queremos. Jesús dijo: "Mis ovejas oyen mi voz, y yo las conozco, y me siguen" (Juan 10:27). Como seguidores de Jesús estamos llamados a oír y seguirlo. Creo que mucha gente se tropieza porque están buscando algo en lugar de alguien. Cuando hablo con el Señor acerca de dirección a menudo le digo: "Señor, por favor háblame, y no importa lo que digas, te voy a seguir." Tal vez yo no necesito decirle al Señor algo que Él sabe mejor que yo, pero un recordatorio personal me ayuda a recordar que yo estoy buscando lo que él quiere y no lo que yo quiero.

Conocer la voz del Señor es conocer al Señor, a través de la cual somos capaces de identificar todas las otras voces lo suficientemente bien como para descartar las falsificaciones. Si usted cree que Dios está hablando con usted, pero usted no está seguro de si es o no es él, le animo a revisar y aplicar la siguiente sección sobre "El Proceso para discernir la Voz de Dios." Yo aplico este proceso en mi propia vida y creo que le ayudará con su viaje también.

## El Proceso para Discernir la Voz de Dios
### *La Prueba de la Escritura*

Si bien todo lo que Dios nos dirá no estará en forma de un versículo bíblico, debemos saber que nunca va a contradecir la palabra de Dios escrita. La Biblia es la voluntad general de Dios para todas las personas en todas las generaciones y no cambia. Debemos someter primero lo que creemos que Dios está diciendo a la prueba de escritura. ¿La palabra (visión, sueño, pensamiento, etc.) se adhieren a los principios bíblicos? ¿Hay algo acerca de la palabra que recibí que contradice lo que Dios ha revelado en la Biblia? ¿Hay algo sospechoso acerca de la palabra que usted recibió cuando la analiza junto a una buena enseñanza bíblica?

Si lo que usted cree que Dios le está diciendo no pasa esta prueba, simplemente debe descartarlo. Si lo que usted cree que Dios le ha dicho no contradice la Biblia, entonces usted solo continúe con el proceso de discernimiento.

### *Haga buenas preguntas*

Al hacer buenas preguntas, efectivamente probamos nuestros corazones y mentes para ver si lo que pensamos que Dios ha dicho viene realmente Dios o es algo que nosotros queremos. Por ejemplo, algunas buenas preguntas son: "¿Tengo paz acerca de esta palabra : ¿por qué o por qué no?" Además, "¿Esta palabra está en línea con otras cosas que Dios me ha estado diciendo?" Si hay algo que ni siquiera se acerca a otras cosas que Dios le ha dicho a usted, tendrá que ser más cauteloso, sobre todo cuando se trata de una palabra de dirección.

Incluso me hago preguntas sencillas como: "¿Por qué creo que esto viene de Dios?" El expresar estas cosas nos ayudará a discernir, si algo es de Dios o no. Cuando la gente viene a mí y empiezan a hacerme tales preguntas, a veces se sienten incómodos, lo que puede ser una señal de que puede que no sea Dios. Cuando lo único que queremos es seguir la voz de Dios, debemos aceptar probar nuestros corazones con varias preguntas.

## Someter la palabra en Oración

Cuando Dios me habla y estoy tratando de discernir si todo viene de Él, o es en parte, o de alguna otra manera, empiezo a orar acerca de ello inmediatamente. Le pregunto al Señor en oración que me revele si Él está hablándome. Pacientemente espero su suave voz de confirmación. He cometido el error de pensar que Dios me estaba diciendo algo para el mes siguiente cuando en realidad lo estaba haciendo para los próximos diez años. Cuando Dios te confirma algo, a menos que Él te hable directamente del tiempo, no asumas que lo sabes. Entendiendo esto, oro pacientemente acerca de cosas y le pido a Dios que imparta el nivel justo de urgencia de modo que pueda obedecerlo apropiadamente.

## Busque Consejo Divino

En Proverbios 15:22 leemos, "Los pensamientos son frustrados donde no hay consejo; más en la multitud de consejeros se afirman". La idea detrás de este pasaje es que a menudo necesitamos ayuda para determinar si lo que estamos pensando al presente está correcto. En el caso de discernir la voz de Dios, no podemos enfatizar lo suficiente la importancia de involucrar voces confiables en nuestro proceso. Cuando incluimos a otros en el proceso de discernimiento, estamos pidiéndoles que disciernan con nosotros, pero no nos dicen si eso viene de Dios o no. Después de compartir lo que estoy escuchando, frecuentemente les pido a personas confiables en mi vida que oren al respecto y que me respondan de alguna manera en el tiempo oportuno. Dios ha usado personas en mi vida para ayudarme a ver cuando Él está hablándome y también cuando no lo está haciendo.

Este paso es especialmente importante cuando estamos aprendiendo a escuchar la voz de Dios. Cuando usted lee la historia de Samuel usted puede ver claramente cómo Dios usó al sacerdote Eli para ayudar a Samuel a ver lo que Dios le estaba hablando a Él ( 1 Sam. 3: 1-14). Samuel no conocía para nada la voz del Señor, así que necesitaba ayuda, así como nosotros cuando empezamos a crecer en escuchar la voz de Dios.

### Pida Confirmación

Cuando creemos que Dios nos está hablando de algo importante, creo que está bien pedir confirmación sobre esto. Algunas veces, el Señor traerá confirmación a través de nuestro tiempo personal de oración, una palabra profética o incluso

# Es importante recordar que Dios quiere que nosotros lo escuchemos más de lo que nosotros mismos queremos.

una conversación casual con un amigo. La forma en que recibimos confirmación puede variar, pero nuestro Padre Celestial nos ama lo suficiente para asegurarnos que verdaderamente lo estamos escuchando a Él.

Si eso es verdad, entonces la confirmación de algo no es un asunto muy difícil, especialmente cuando la palabra o el sentido que viene de Dios tiene cierto nivel de enigma en Él. Si yo estuviera en una conversación con mi hijo, y por alguna razón, él pierde una parte de lo que yo dije, me encantaría repetir toda la conversación, si mi hijo sinceramente me lo pide de nuevo.

En su proceso de discernimiento, solo mire al Señor y dígale: "Padre, dame claridad en lo que me estás diciendo de manera que pueda seguirte con todo mi corazón".

¡Yo le garantizo que su sincera petición siempre encontrará confirmación de su Padre celestial en algún momento!

## Capítulo 7 Preguntas de Repaso

1. ¿Ha sido capaz de identificar algunas voces falsas en su vida? ¿Cómo trató con ellas?

2. ¿Qué partes del "Proceso de Discernir la Voz de Dios ya está usando? ¿Qué partes no ha estado usando que tiene intención de usar?

3. ¿Qué es lo que más lo ha alentado de este capítulo y cómo lo aplicará a su vida?

# CAPÍTULO 8
# RESPONDIENDO A LA VOZ DE DIOS

Cuando escuchamos a Dios es un verdadero privilegio, y también trae una gran responsabilidad. El hecho es, que si no queremos responder a lo que Dios dice, ¡no deberíamos escuchar lo que él dice tampoco! Lo que hacemos con lo que Dios nos dice es increíblemente importante. Quiero poner énfasis en este punto porque mi esperanza es que nunca seamos informales con nada de lo que Dios nos dice.

El más ampliamente conocido sermón que Jesús alguna vez predicó está en Mateo, capítulos cinco al siete. Comúnmente conocido como "El Sermón del Monte", en la ladera de la montaña donde comenzó a enseñar a la multitud acerca de la vida en el Reino de Dios. Su enseñanza hace accesible el reino de vida a

**La mayoría de lo que escucharemos de Dios requiere una respuesta, así que necesitamos estar preparados para actuar.**

todas las personas, no sólo a una élite espiritual. Este tipo de enseñanza no solo fue revolucionario en sí mismo, sino que, además, todos los que oyeron y respondieron a Jesús estaban en pie de igualdad, lo que antes era algo inaudito. Para nuestros propósitos, la parte más importante de su sermón se produce al final y se ocupa exclusivamente de lo que todos actualmente deben hacer con lo que acaban de escuchar decir a Jesús.

> Cualquiera, pues, que me oye estas palabras, y las hace, le compararé a un hombre prudente, que edificó su casa sobre la roca. Descendió lluvia, y vinieron ríos, y soplaron vientos, y golpearon contra aquella casa; y no cayó, porque estaba fundada sobre la roca. Pero cualquiera que me oye estas palabras y no las hace, le compararé a un hombre insensato, que edificó su casa sobre la arena; y descendió lluvia, y vinieron ríos, y soplaron vientos, y dieron con ímpetu contra aquella casa; y cayó, y fue grande su ruina (Mat.7:24-27).

Jesús deja muy claro que la persona que escucha sus palabras y no las pone en práctica es un tonto y puede esperar un colapso definitivo en su vida. Por lo tanto, escuchar a Dios, ya sea si estamos leyendo la Biblia o discerniendo la voz del Espíritu Santo, debe ir acompañada de un compromiso de responder. Lo que hacemos con lo que se dice define quiénes somos y afectará profundamente nuestro futuro.

Un domingo por la tarde, mientras asistía a una pequeña iglesia, tuve mi primer encuentro con un misionero internacional. Él era de la India y viajaba a los Estados Unidos una vez al año para recaudar apoyo y reclutar a la gente para misiones en los lugares remotos de su país. Sus historias eran convincentes y sonaban similares a lo que leo en la Biblia acerca de gente como Abraham, Elías y Daniel. Cuanto más historias contaba, más desafiado y desanimado me sentía. Estaba desanimado porque mi vida parecía tan lejos de las cosas que Dios estaba haciendo en y a través de él, y no vería el cambio a menos que me mudara a la India o algo similar. De alguna manera creo que muchos jóvenes cristianos se sienten así en algún momento, pero Dios en última instancia, aclara que no se trata de dónde se encuentre uno, sino cómo se elige vivir donde quiera que esté. Este misionero era sólo un hombre que escuchó y respondió a lo que Dios le dijo, y como resultado fue capaz de ver y compartir el gran amor de Dios y ver su gran poder en un gran número de personas.

El plan de Dios para este mundo no sólo está decidido, sino que realmente ocurrirá. De alguna manera, la verdad ha hecho que muchas personas piensen o enseñen que nuestra responsabilidad no es tan importante porque piensan que Dios es el que lo hace todo. ¿En serio?

¿Dios lo hace todo? ¿Él no nos ha invitado a participar en el desarrollo de su voluntad? ¿Él no pone ninguna responsabilidad en nosotros para hacer algo? Obviamente, este punto de vista se vuelve confuso cuando empieza a retarnos con las implicaciones de incontables versículos de la Biblia. Pero si no hablamos de esto hasta cierto punto, la cuestión de responder a la voz de Dios no tiene mucho sentido.

En primer lugar, seamos claros. Dios puede hacer todo sin nosotros y ha hecho la mayoría de cosas sin nuestra ayuda. Sin embargo, en toda la Biblia podemos ver claramente cómo Dios quiere usar a la gente para llevar a cabo su voluntad. Aunque creo que Dios es soberano, también creo que, en su soberanía, nos permite tomar decisiones. Podemos elegir obedecer o no. Dios desea que nosotros trabajemos con Él para lograr sus propósitos. Creo que esto era un enfoque más difícil para tomar. A veces mis hijos quieren ayudarme a pintar un dormitorio o limpiar el garaje, y cuando les permito que lo hagan, suelen crear más líos para que mamá y papá limpien. Sin embargo, las experiencias que compartimos en estos tiempos por lo general resultan útiles para la enseñanza y la construcción de relaciones, lo que realmente es el punto. No somos sólo los destinatarios del plan de Dios, sino también somos colaboradores en el mismo (1 Cor. 3: 9), haciendo de nuestra respuesta a su voz el punto más importante.

Hay más en el plan de Dios de lo que podríamos suponer, sobre todo porque su plan tiene mucho que ver con nosotros. Somos herramientas de Dios a través de los cuales continúa el mensaje y el ministerio de Jesucristo. Escuchar la voz de Dios no sólo es importante; es esencial, ya que comprometemos el aspecto misional de caminar con Dios, para que todo el mundo pueda ser despertado a su realidad. Sigo encontrando muchos cristianos que, por cualquiera sea la razón, no parecen pensar que su papel en lo que Dios está haciendo es muy importante. ¡Qué mentira! Sí importa. Lo que haces, importa. Lo que usted elija no hacer importa. ¿Cuántas personas están esperando al otro lado de nuestra respuesta a la voz de Dios? Es hora de deshacerse de las falsas nociones de que nuestras respuestas o nuestras decisiones no importan mucho, mientras abrace el increíble privilegio de servir a Dios y ver vidas cambiadas a través de su poder en la medida que respondemos a su voz.

## ¿Cuántas cosas equivocadas se alinearán cuando elijamos seguir el liderazgo de Dios y no el nuestro?

Un verano me invitaron a hablar en un festival al aire libre en un parque a casi una hora o un poco más de donde yo vivo. Llegamos y prediqué mi mensaje, luego, mis amigos y yo empezamos a caminar hacia nuestros autos y al cruzar la calle me crucé con dos hombres jóvenes que trabajaban para Parques y Recreación. El Espíritu Santo me dijo, "Date la vuelta y ve a hablar con ellos!" Di unos cuantos pasos más, di la vuelta y caminé hacia ellos. Mientras comenzábamos una pequeña conversación, el Espíritu Santo habló a mi corazón acerca de una de sus hermanas que casi había muerto de una sobredosis de drogas. Compartí esta palabra con el joven. Con lágrimas en los ojos, lo reconoció y recordó los detalles de cómo casi había muerto su hermana. Él y el otro joven no eran cristianos pero osadamente los animé en el Señor y les pregunté si podía orar por ellos. Como asintieron "sí" a la oración, los dos se quitaron sus sombreros cuando comencé a orar por su hermana y su familia. Terminé de orar y comencé a compartir el amor de Dios en Jesucristo y cómo había llegado a conocer este amor a los diecinueve años.

Ninguno de los jóvenes dieron su vida a Jesús ese día, pero, sin lugar a dudas, era probablemente la experiencia más reveladora que jamás habían presenciado. No me sorprendería si ambos estuvieran caminando con Jesús hoy, es así cómo opera Dios, un paso a la vez. Este testimonio es el resultado de escuchar y responder a la voz de Dios. ¿Qué hubiera pasado si yo hubiera seguido caminando? Correcto, nada. Este es el tipo de cosas que suceden todos los días cuando la gente oye la voz de Dios y, en lugar de sentarse pasivamente, responden a lo que escuchan. ¿Cuántos testimonios de la bondad de Dios hacia las personas estamos retrasando porque no estamos escuchando, o estamos escuchando pero no respondemos? Es hora de levantarse amigos, es hora.

## Corazón que responde

Un día yo estaba leyendo la historia de cuando Jesús se acercó a un hombre llamado Mateo, y simplemente le dijo: "¡Sígueme!" (Mateo 9: 9) Mateo era un recaudador de impuestos en la ciudad de Capernaúm, y cuando Jesús lo llamó, estaba recaudando impuestos. La parte interesante de esta historia es cómo responde Mateo: "Y él se levantó y le siguió" (Mateo 9: 9). ¿En serio? ¿Pueden imaginarse eso por un momento? Mateo se levantó, dejó su trabajo, y comenzó a caminar con Jesús en los siguientes años debido a dos simples palabras. Si eso no es una respuesta radical, entonces no sé qué es.

Le pregunté al Señor: "¿Por qué eligió a los hombres que escogió para ser sus discípulos?" En cuestión de segundos, el Señor respondió a mi corazón, "Yo les elegí porque eran humildes." Inmediatamente, pensé cuando Jesús se refirió a a sí mismo como "humilde de corazón" (Mateo 11:29). Responder a Dios se trata de tener un corazón humilde, al igual que el que Jesús demostró tener.

Tener un corazón humilde es la clave para responder adecuadamente a Dios. Por ejemplo, mire la diferencia entre Moisés y el Faraón. Moisés fue llamado por Dios y, aunque su respuesta no fue perfecta, él obedeció la dirección de Dios. La Biblia también dice que Moisés era más humilde que cualquier otro hombre (Núm. 12: 3). A Faraón se le dijo lo que Dios quería y él se negó a escuchar porque su corazón era duro (Éxodo 07:14). Estas diferentes respuestas revelan la condición de los corazones de ambos hombres. Creo que lo mismo es cierto para nosotros; las formas en que respondemos (o no respondemos) a Dios demuestra la medida de humildad de corazón que cada uno de nosotros poseemos.

## Si luchamos con creer u obedecer a Dios, entonces debemos examinar la condición de nuestros corazones.

¿No es interesante que Jesús escogiera comparar sus seguidores a las ovejas, que son ampliamente conocidas por ser humildes y que instintivamente siguen a su pastor? Sus ovejas oyen su voz y le siguen (Juan 10:27). Como cristianos, nosotros también debemos acercarnos para escuchar a Dios y responder a lo que Él dice con la misma humildad.

Me gustaría animarte con la oración que el rey David oró por su hijo Salomón, la cual yo repito por mi familia y por mí mismo. "Dale a mi hijo Salomón un corazón perfecto para guardar tus mandamientos." (1 Cron. 29:19) Dios no espera que realicemos cosas sin darnos el poder para hacerlas, esa es la razón por la que debemos pedirle corazones obedientes, y así estar listos para obedecer lo que le escuchamos decir.

### Respondiendo con Fe

Nuestra primera y más importante respuesta a la voz de Dios es la respuesta de la fe. Ahora para salir y asumir que usted sabe lo que quiero decir, vamos a explorar un poco el tema. En primer lugar, ¿qué es la fe? La fe es la garantía, la confianza, la creencia y convicción. La fe es nuestra capacidad de creer y confiar en que algo es verdad más allá de lo que sabemos y más allá de lo que podemos ver. ¿De dónde obtienes la fe? Sabemos que la fe viene de Dios porque la Biblia dice que Dios ha dado a cada persona una medida de fe (Romanos 12: 3). Si bien cada persona tiene fe, la verdadera pregunta es, ¿para qué debemos aplicar nuestra fe? Algunas personas ponen su fe en sí mismos, en un sistema, en las palabras de otros, o tal vez en nada. Dios nos da fe para que cuando escuchemos su voz podamos aplicarla a lo que él nos dice. ¿Creemos y confiamos en lo que Dios dice, o creemos en algo más?

Una y otra vez vemos en la Biblia a Dios hablándole a alguien y esperando plenamente que esa persona le crea sin importar las circunstancias. Tener fe en algo no es optimismo, lo que queremos, o lo que creemos que debería suceder, o incluso lo que podemos ver. Todo es cuestión de creer, confiar, y descansar plenamente en lo que Dios dice. Por lo tanto, ¡saber lo que Dios nos está diciendo es sólo el comienzo! Después de que sabemos lo que Dios ha dicho, todo se reduce a lo que creemos, a aquello en que elegimos poner nuestra fe.

El escritor de Hebreos se esforzó mucho para ayudarnos a entender el poder de responder en la fe en nuestra relación con Dios. "La fe es la certeza de lo que se espera, la convicción de lo que no se ve. Porque por ella alcanzaron buen testimonio los antiguos" (Heb. 11: 1-2). Cuando usted lee Hebreos 11 obtiene una visión rápida de varias personas que escucharon a Dios en su día y le creyeron, incluso cuando sus vidas se encontraban en peligro. Hombres como Noé, Abraham, José y Moisés oyeron la voz de Dios y respondieron por fe. En muchos casos de la Biblia, lo único que estos y otros héroes de la fe tenían era una palabra de Dios.

Permítanme ilustrar la respuesta de la fe. En el inicio de 2013 me decidí a perder algo de peso porque, bueno, digamos que yo lo necesitaba. Después de conversar con varias personas, cada uno de ellos pensaban que su método particular para perder peso era infalible, un amigo mío me convenció de que tenía que contar las calorías, y que tenía que llevar un programa que seguramente me haría perder peso. Así que así lo hice. Yo creí lo mi amigo me dijo, pero esa creencia requirió una acción con el fin de producir resultados. Así que, seguí el programa exactamente como él me lo explicó, y durante un período de varios meses perdí casi quince libras y me he mantenido así.

Yo creí en lo que me dijeron y por consiguiente orienté mi vida en lo que mi amigo me dijo. Mi fe (no usando el término literal aquí) me causó creer lo que resultó en una acción. La fe en la palabra de

Dios es similar en que no es sólo un reconocimiento mental; la verdadera fe confía en lo que dice se lleva a la acción. En otras palabras, la fe lleva a la obediencia a Él; de lo contrario, no es la verdadera fe (Sant. 2:17). Los hombres de la antigüedad ganaron testimonio de su fe, a través de sus acciones, su fe se hizo conocida al mundo en que vivieron. Tener fe en lo que Dios dice requiere una cierta actitud y siempre va acompañada de acciones específicas.

A esta altura tengo que advertirle que si realmente escucha a Dios y le responde a él por fe, algunas personas pensarán que está loco. Piensa en los que se menciona en Hebreos 11, como Noé, por ejemplo, (Heb. 11: 7). Dios le dijo a Noé que construyera un enorme barco porque estaba a punto de juzgar al mundo entero con una inundación masiva. Noé creyó a Dios y comenzó a trabajar en el proyecto del barco en los próximos setenta a cien años. ¿Qué crees que sus vecinos pensaban acerca de la construcción de este barco? ¿Te imaginas a Noé explicando por qué estaba construyendo un barco? ¿Puedes ver sus rostros? Estoy seguro de que todo el pueblo pensó que Noé estaba loco, al menos hasta que vino el diluvio.

Hebreos 11 da increíble ánimo a los que van a creer en Dios. "Por la fe entendemos haber sido constituido el universo por la palabra de Dios, de modo que lo que se ve fue hecho de lo que no se

> **Escuchar a Dios se trata de cambiar el mundo, pero el mundo no cambia a menos que la gente que escucha a Dios ponga su fe en lo que Él dice.**

veía" (Heb. 11: 3). Una vez creí que este versículo significa que se necesita fe para creer que Dios hizo el universo, pero no es así del todo. Recuerde, el contexto de este versículo y este capítulo es una larga lista de personas que escucharon a Dios, pusieron su fe en su palabra, y cambiaron el mundo como resultado.

Cuando nos fijamos en el versículo tres, note la palabra "mundos". La palabra original detrás de "mundos" se traduce a menudo como eras, períodos de tiempo, y generaciones 14. Esta palabra siempre habla de un período de tiempo, no un mundo físico o universo. Visto de otra manera, este versículo realmente significa que Dios enmarcó las últimas generaciones asociándose con los que creerían y aplicarían su fe a lo que él les dijo. El autor quiere que entendamos cuán serio es en realidad este asunto de la fe. Nuestro papel en cambiar al mundo comienza con oír a Dios y continúa con un firme compromiso de poner nuestra fe en lo que dice.

## Respondiendo con Obediencia

¿Qué le viene a la mente cuando alguien habla de "obedecer a Dios?" Me encuentro con una serie de personas que tienden a escuchar, "es mejor que obedezca a Dios" en lugar de "tengo que obedecer a Dios." Todo lo relacionado con Dios es una invitación, no una obligación, incluso cuando se trata de la obediencia. Debemos querer obedecer a Dios porque creemos Él, confiamos en Él, y lo amamos, por no mencionar el hecho de que Él es Dios y conoce nuestro pasado, presente y futuro.

Dios quiere que le obedezca porque sabe lo que es mejor para nosotros. Una vida bendecida es siempre una vida obediente. En una familia saludable, cuando un niño desobedece, por lo general lo hace por egoísmo y orgullo. El niño desobediente no quiere hacer algo que debe hacer (a pesar de que sabe que es bueno para él), o que no quiere hacer algo porque cree que sabe más. Ambas razones son completamente tontas.

Un ejemplo común es cuando un padre le dice a su hijo que se cepille los dientes. "Bien papá, me aseguraré de lavarme los dientes antes de ir a la cama." ¿El hijo lo hace? Por lo general, no. "Asegúrate de usar el hilo dental en tus dientes también, porque si no se usas el hilo dental tendrás caries." "Papá claro, voy a cuidarme porque eso está en mi lista de prioridades". El niño puede dejar pasar bastante tiempo sin ningún tipo de consecuencias, lo que incrementa aún más su desobediencia. "Yo no tengo que usar el hilo dental, mis dientes están bien. Papá no sabe lo que está hablando "Un año más tarde, el niño está en la silla del dentista escuchando la mala noticia:". Tienes cuatro caries y vamos a tener que hacer cuatro curaciones hoy "Ahora, de repente, este hijo oye las palabras de su padre en una nueva luz cuando la aguja de anestesia se introdujo en su boca. Esperemos que en este momento se de cuenta de

## Los padres les dicen a sus hijos lo que deben hacer, y desean una respuesta obediente porque es para el mayor beneficio del niño.

que el dolor, el malestar y la incomodidad que está experimentando es la consecuencia de su desobediencia.

Los buenos padres no les dicen a sus hijos qué hacer, porque de alguna manera disfrutan de su control o hacen que hagan cosas innecesarias que no son importantes. Los niños necesitan confiar en sus padres para creer y obedecer lo que ellos les piden hacer. Obviamente, confiar en el carácter de los padres es la clave.

Somos hijos de Dios y el Señor quiere que confiemos en él hasta el punto en el que nuestra obediencia se convierte en una manera natural de nuestra relación con Él. En la noche en que Jesús fue traicionado compartió algunas palabras muy importantes e íntimas con sus discípulos, gran parte de lo que requeriría una respuesta después de que él hubiera partido. Sabiendo esto, dijo, "Si me amáis, guardaréis mis mandamientos" (Juan 14:15). Jesús compartió su corazón con sus discípulos, diciendo que la cosa más importante que podían hacer durante su ausencia era obedecer todas las cosas que les había dicho. Casi puedo oír a Jesús diciendo: "Hola amigos, si realmente me aman y quieren saber lo que quiero para ustedes, sólo recuerden todas las cosas que les dije y lo háganlas, porque no sólo es lo que quiero para ustedes, es lo mejor para ustedes".

Cuando se trata de responder en obediencia, simplemente no puede dejar de lado la historia de Abraham. Se nos presenta brevemente a Abram (es decir, Abraham) al final de Génesis 11, echamos un vistazo a su fe en Dios al principio del capítulo 12.

> Pero Jehová había dicho a Abram: Vete de tu tierra y de tu paren-
> tela, y de la casa de tu padre, a la tierra que te mostraré. Y haré de ti
> una nación grande, y te bendeciré, y engrandeceré tu nombre, y serás
> bendición. Bendeciré a los que te bendijeren, y a los que te maldi-
> jeren maldeciré; y serán benditas en ti todas las familias de la tierra. Y
> se fue Abram, como Jehová le dijo; y Lot fue con él. Y era Abram de
> edad de setenta y cinco años cuando salió de Harán. (Gen. 12:1-4)

Dios habló a Abraham acerca de dejar su país e ir a una tierra nueva y desconocida. La mayoría de la gente lee este pasaje y se centra en las promesas que se dieron en lugar de la respuesta necesaria para cumplir las promesas. Si Abraham no hubiera ido,¿ lo hubiera bendecido aún Dios y hubiera cumplido las promesas que le dio? No lo creo. ¿Era importante la obediencia de Abraham ? ¡Por supuesto! La Biblia está llena de promesas que requieren una respuesta de obediencia. En este pasaje vemos literalmente que la vida obediente es una vida bendecida. ¡Qué increíbles cosas increíbles nos esperan, nuestras familias, iglesias y ciudades del otro lado de nuestra obediencia! Cuando viene la voz de Dios, se dan dos clases de obediencia. La primera es la que llamo obediencia inmediata, en la cual Dios nos habla y se requiere e implica nuestra obediencia dentro de un momento dado. Si escogemos no obe-decer a Dios inmediatamente, la oportunidad se pierde y cualquier tipo de fruto potencial también se pierde.

No hace mucho tiempo atrás, estaba de camino a una reunión, apurado como de costumbre, así que me acerqué al restaurante de comida rápida del lugar más cercano que pude encontrar. Pedí mi comida y me detuve en la ventana cuando de repente, el Señor me habló (voz interna) sobre el empleado en el restaurante. Escuché al Señor decir: "Se supone que él debe volver a la universidad y seguir una carrera de letras y quiero que le animes a orar a mí y que confíe que yo puedo ayudarlo con el dinero que él necesita." Cuando salí para recibir mi comida, el hombre tomó mi dinero y en ese momento le compartí exactamente lo que yo creía que el Señor me había dicho. Él me respondió: "¿Me está tomando el pelo? Estaba hablando con mi hermano hoy acerca de volver a la escuela para ser periodista, esto es una locura! "Compartí brevemente con él el amor de Dios en Jesucristo y le animé a orar. Fue estaba tan asustado y alentado al mismo tiempo. Fue un momento increíble para este joven. Literalmente solo tuve segundos para obedecer lo que el Señor me había dicho. Este tipo de oportunidades requieren nuestra obediencia inmediata al Señor, o la oportunidad se pierde. Estoy seguro de que este joven se alegró de que yo obedeciera.

El segundo tipo de obediencia es lo que yo llamo obediencia a largo plazo, en el cual Dios nos habla sobre algo que requiere un esfuerzo continuo para realizar su palabra. Dios le dijo a Noé que construyera un arca que tomaría de 70 a 100 años en completarse. Dios le dijo a Abraham que fuera a una tierra extraña, que pudo tomar meses o años. La Biblia está llena de ejemplos en los que se requería que la gente viviera en una obediencia continua a largo plazo, que siempre será acompañada de una fe continua y perseverancia real.

Personalmente recibo muchas palabras del Señor que requiere obediencia inmediata y muy pocas que requieren obediencia a largo plazo. Esto es cierto para todos nosotros. Las palabras que requieren obediencia a largo plazo son en su mayoría de dirección y pueden involucrar meses y años, lo que explica por qué recibimos menos de ellas. Dios nos puede dar palabras diarias que requieren obediencia inmediata con el fin de compartir el evangelio o traer aliento. Independientemente a lo que Dios nos pide que hagamos, a largo o corto plazo, podemos confiar en que él nos dará poder para obedecer su voz en todas las cosas. Como resultado, el mundo, nuestro mundo, será cambiado.

## Respondiendo con Valentía

Si vamos a responder a lo que Dios dice tendremos que ser personas de valor, dispuestos a enfrentar dificultades y asumir riesgos, y no permitir que el miedo a lo que podría suceder o lo que otros puedan decir que nos impida hacer la voluntad de Dios. Dios llama a la gente a hacer grandes cosas; como tal, los riesgos siempre están involucrados, y por eso es tan necesario tener valentía.

Antes de que Moisés muera encargó un sucesor, Josué, para conducir al pueblo de Israel a la Tierra Prometida. Moisés tenía 120 años de edad y él sabía que no iba a conducir al pueblo a la tierra, así que era hora de un cambio de liderazgo antes de morir. Moisés puso sus manos sobre Josué para comisionarle su nuevo papel de liderazgo y le dijo estas palabras:

> Y dio orden a Josué hijo de Nun, y dijo: Esfuérzate y anímate, pues tú introducirás a los hijos de Israel en la tierra que les juré, y yo estaré contigo (Deut. 31:23).

El llamado de Dios que estaba en Moisés se transfirió a Josué, y si alguien sabía que es lo que tomaría seguir la voluntad de Dios y guiar al pueblo de Israel, era Moisés. ¿Qué le dijo Moisés a Josué? "¡Esfuérzate y sé valiente!" No mucho después de esta

**Cuando Dios nos dice algo, Él no espera que nos alejemos de Él, para luego regresar cuando tenemos éxito.**

oración de comisión, Moisés muere y el Señor empieza a hablarle a Josué con las mismas palabras que Moisés le había dado a él.

> Mira que te mando que te esfuerces y seas valiente; no temas ni desmayes, porque Jehová tu Dios estará contigo en dondequiera que vayas (Josué 1:9).

Dios le dijo a Josué que fuera valiente porque iba a tener que enfrentar grandes obstáculos en su nuevo rol. Para los siguientes años iría y guiaría más de treinta campañas militares en contra de gente más grande y más fuerte que Israel. ¿Cómo podría Josué enfrentar estas dificultades conociendo a los enemigos que estaban contra él? Él pudo hacerlo con la valentía que Dios le dio.

La valentía viene de Dios. Viene de saber que Dios está con nosotros en lo que Él nos ha llamado a hacer.

Esa no es la forma cómo funciona. Dios nos llama a hacer algo, y nos deja saber que "Él está con nosotros" en el momento en que ponemos nuestras manos en ello. ¿Cómo podemos tener temor si sabemos que Dios está con nosotros? Un día, mi amigo y yo estuvimos en el auto por la autopista un día porque habíamos recibido una palabra de Dios de ir a Seattle. Así que, cuando llegó la primera salida a Seattle, los dos sabíamos que era allí donde debíamos ir. Terminamos de estacionarnos en una zona llamada el Capitolio y decidimos caminar y hablar con la gente acerca de Jesús. Nos encontramos con drogadictos, prostitutas, gente borracha y enojada que dejaron en claro que no nos querían allí, y un montón de otras situaciones interesantes. Nada importante pasó ese día. En realidad, me alegré cuando todo terminó. Más tarde esa semana, estaba pasando tiempo en oración cuando sentí que el Señor hablaba a mi corazón para ir a esta misma zona cada semana. Esta no era la manera en que quería pasar mi sábado, en parte porque tenía miedo. Oré y le pedí a Dios por el valor para hacer lo que Él me había pedido hacer. Además de valentía, recibí tanta fuerza mientras lo veía tocar vidas de las personas a través de nosotros durante las próximas semanas. Para el próximo año o dos habíamos invertido nuestros sábados en Seattle ministrando las personas sin hogar, quebrantados, drogadictos, brujas, e incluso las personas religiosas en mal estado.

Muchos cristianos temen que si realmente se rinden a Dios, Él podría pedirles ir a algún lugar de la misión extranjera y sacrificar todo por Él. Esta presunción es legítima. Dios podría llamarlo a usted a ir al igual que hizo con Abraham, pero esa no es razón para tener miedo. Se necesita valor para obedecer a Dios, pero hay que recordar que el valor viene de Dios, y Él está siempre con nosotros.

## Capítulo 8 - Preguntas de Repaso

1. ¿Alguna vez ha desobedecido a Dios después de saber que Él le ha llamado a hacer algo? Si es así, describa la situación. ¿Aprendió de su experiencia? ¿Haría usted algo diferente la próxima vez?

2. ¿Tiene luchas con la duda cuando Dios le habla? ¿Por qué o por qué no? ¿Qué es lo que necesita recibir de Dios para seguir adelante con una fe y confianza más grande en lo que Él le dice?

3. ¿Cree usted que está completamente rendido a Dios? ¿Estaría dispuesto a hacer todo lo que Él le dijo que haga en este punto de su vida? ¿Por qué, o por qué no? ¿Cómo puede usted ir hacia adelante con valentía?

4. ¿Qué es lo que más le animó de este capítulo y cómo lo aplicará a su vida?

# CAPÍTULO 9
# SIGUIENDO LA VOZ DE DIOS

Yo tenía dieciocho años y acababa de graduarme de la escuela secundaria, ¡pues aceleré entusiasmadamente para tener mi verano de libertad! Libre de la escuela, libre de tareas – simplemente libre, ¿no? Bueno, no exactamente. Tan pronto como el verano comenzó todos empezaron a hacer la gran pregunta en mi vida: "¿Qué vas a hacer con tu vida?" Al principio no tenía ni idea de cómo responder. Muchas de las personas que conocía iban a la universidad, centros de formación profesional e internados, pero yo no, porque no tenía ni idea de lo que quería hacer con mi vida.

Durante ese tiempo, estaba tomando decisiones increíblemente pobres que retrasaron mi interés por el futuro y la motivación para desarrollar cualquier tipo de plan. En poco tiempo, empecé a sentir el peso de la gran pregunta, y sabía que tenía que hacer algo, así que empecé a buscar en los colegios y otras oportunidades. Un día, me encontré en una conversación con un programador de web exitoso, durante la conversación compartió conmigo su pasión por su trabajo y el excepcional dinero que estaba haciendo. Le dije que yo pensaba que el diseño web podría ser una gran carrera para mí, sobre todo después de escuchar lo que él tenía que decir. Él me alentó a revisar programas en la universidad local. Al cabo de unos meses, me inscribí en un programa de dos años de diseño web.

Unos seis meses después de tomar la decisión de ir a la escuela, en medio de una serie de circunstancias increíbles, le di mi vida a Jesucristo y fui cambiado radicalmente para siempre. De repente, todo lo que yo pensaba, todo lo que me dijeron, y todo lo que yo quería hacer era bajo una nueva dirección dada Dios. Recuerdo haber ido a clase, sentándome en el fondo de la sala, viendo todos los deseosos estudiantes, y me preguntaba, "¿Por qué estoy haciendo esto?" En serio. ¿Por qué estoy haciendo esto? "Pensé mucho sobre por qué estaba siguiendo una carrera en diseño web. Rápidamente me di cuenta de que lo estaba haciendo porque un chico me dijo que sería bueno para mí, y yo le creí. También lo estaba haciendo porque pensé que esta carrera proporcionaría la mayor cantidad de dinero por la menor cantidad de pensamiento - trabajo perezoso, pensé. De repente, este pensamiento no parecía muy bueno y realmente yo quería saber lo que Dios tenía que decir. Yo había escuchado a mi amigo programador de web y había escuchado mi propia voz en su deseo de hacer un montón de dinero. Sin embargo, nunca había buscado la voz de Dios para mi vida, así que era el momento de empezar de nuevo. Cuando empecé a seguir la voz de Dios, mi pregunta constante era: "Dios, ¿qué quieres que haga?

Perseguimos muchas cosas en la vida basado en lo que otros nos dicen, pero como seguidores de Jesús debemos estar determinados a seguir su voz por sobre todas las demás. Para aquellos que llaman a Jesús Señor, la única forma es seguir su voz en medio de circunstancias, dificultades y oportunidades.

**Seguir la voz de Dios significa que consistentemente le pedimos a Dios su consejo, su dirección y su plan concerniente a nuestras vidas.**

El aprender a someter el proceso de toma de decisiones de nuestras vidas a Dios, no siempre es fácil, pero es completamente esencial. Yo he descubierto que escuchar la voz de Dios no es solamente escucharlo a Él; se trata también del viaje de seguirlo y depender de Él para todas las cosas. Dios a menudo está esperando que lo invitemos para tomar decisiones en nuestras vidas, y así sigamos su voluntad, confiando que su plan es lo mejor para nosotros.

En el Antiguo Testamento, la nación de Israel tenía muchos reyes diferentes, pero el que más destaca es el rey David. Dios se refirió a David como "un hombre conforme a su corazón", y fue honrado por Dios por encima de todos los demás reyes en la historia de Israel (1 Sam. 13:14). Cuando Dios dice que David era un "hombre conforme a su corazón", creo que se refería a que David siguió su corazón como ningún otro. La Biblia menciona en al menos ocho ocasiones que David "consultó al Señor", y es mucho más que cualquier otro rey mencionado en las escrituras. David cometió muchos errores, cometió pecados horribles, y en mi opinión era un individuo despiadado. Pero una cosa que, sin duda, hizo bien fue seguir la voz de Dios para él, su familia y la nación de Israel. Por eso Dios lo honró por encima de los demás.

Dios nunca ha encontrado una persona perfecta con la cual trabajar, pero parece claro que es atraído hacia los que persiguen y dan prioridad a lo que Él dice. Si realmente queremos caminar en la voluntad de Dios, entonces no podemos sentarnos pasivamente esperando que Él nos diga que hacer o decir algo. Tenemos que ser implacables en nuestra búsqueda de lo que Dios está diciendo.

## Nuestra Dependencia es el combustible de Nuestra Búsqueda

Debemos reconocer que nuestra búsqueda de la voz de Dios está ligada a nuestra dependencia de Él. En nuestro pecado nos separamos a nosotros mismos de la voz de Dios y empezamos a confiar en nosotros mismos para encontrar dirección y respuestas. En Cristo, rechazamos una vida autónoma y egoísta y nos reconectamos a Dios en verdadera dependencia, donde no solo deseamos su voz, sino también reconocemos que necesitamos su voz.

La dependencia es el estado o condición de necesitar o confiar en alguien para que nos ayude, apoye y sostenga. Nosotros necesitamos a Dios. Necesitamos su voz. Sin la voz de Dios en nuestras vidas, vamos a creer en la obra terminada de Jesús para la salvación en el futuro, pero vamos a seguir nuestras propias voces en el presente. Nuestras acciones no van a trabajar en armonía con nuestras creencias, y nos conducirá a una mayor destrucción. Por tanto, la dependencia de Dios es el combustible para seguir la voz de Dios en la vida. Sólo nos importa lo que él tiene que decir, si sabemos que necesitamos escuchar lo que tiene que decir.

La vida y el ministerio de Jesús ejemplifica el tipo de dependencia de Dios que necesitamos tener. En Mateo 3 y 4, Jesús comienza su ministerio a la edad de treinta años al ser bautizado y luego llevado al desierto por el Espíritu Santo. En el desierto, Jesús supera para una serie de tentaciones durante un encuentro único con el diablo.

Entonces Jesús fue llevado por el Espíritu al desierto, para ser tentado por el diablo. Y después de haber ayunado cuarenta días y cuarenta noches, tuvo hambre. Y vino a él el tentador, y le dijo: Si eres Hijo de Dios, di que estas piedras se conviertan en pan. Él respondió y dijo: Escrito está:" No sólo de pan vivirá el hombre, sino de toda palabra que sale de la boca de Dios" (Mat. 4:1-4).

Este pasaje registra la primera de las tres tentaciones que Satanás trae a Jesús en su intento de hacer fracasar el plan de Dios. Satanás sabía que Jesús estaba ayunando por lo que lo tentó a romper su ayuno y demostrar su identidad transformando milagrosamente las piedras en pan. Esta no parece una tentación muy grande, ¿verdad? Sin embargo, no se trata solo de Jesús comiendo pan, sino de a qué voz iba a obedecer – a la del diablo o la de su Padre celestial. Lo mismo ocurre con la voz tentadora del diablo en Adán y Eva: un reto para ver a qué voz obedecerían (Gen. 3). Jesús tomó su posición en contra del diablo al proclamar la verdad, que la voz de su Padre es la que verdaderamente lo sostiene.

Curiosamente, la declaración de Jesús aquí es en realidad una cita de Moisés (Deut. 8). En este pasaje, Moisés estaba preparando la nación de Israel para entrar en la Tierra Prometida, algo tan esperado después de cuarenta años de vagar

# No creo que Jesús podía ser más claro en decir que la forma en que vivimos debe depender de lo que Dios dice.

por el desierto. En su exhortación a Israel, Moisés recuerda las dificultades del desierto y trae claridad sobre la temporada pasada, para que, mientras ocupaban la nueva tierra que Dios les da, no olvidarían su necesidad de Dios y de su voz en sus vidas.

En el desierto, los israelitas no tenían ni comida, ni agua, y no había manera de producir lo que físicamente necesitaban para mantenerse vivos. Dios no quería que Israel muriese de hambre, sino que aprendiera a depender de Él y no de sus circunstancias. En el desierto, Dios envió maná del cielo y le dijo a la gente cómo recogerla para que pudieran tener comida todos los días (Ex. 16: 4), Él también le dijo a Moisés que lanzara una rama de un árbol en un cuerpo contaminado de agua para que pudieran tener agua potable (Ex. 15: 22-25). Israel se mantuvo con vida porque escucharon lo que Dios les dijo, que es exactamente lo que Moisés quería que recordaran mientras viajaban a una nueva tierra llena de casas, campos, viñedos y manantiales de agua dulce.

Es fácil confiar en lo que tenemos o lo que podemos hacer, pero la vida nos va a dar un montón de problemas y el suelo en ocasiones cambiará justo debajo de nuestros pies. Sin embargo, es mi convicción de que si no tenemos una urgencia de escuchar a Dios, lo más probable es que no vamos a seguir lo que tiene que decir. La gran tragedia del pueblo de Dios a lo largo de la historia es que tienden a hacer lo correcto en nuestros propios ojos, sin consultar a Dios en absoluto; y como resultado, van por mal camino. La vida está llena de momento "en que no sé qué hacer", lo que debería motivarnos a escuchar a Dios, en lugar de simplemente hacer cosas y esperar que funcionen. Les animo a evaluar en lo que está confiando y asegurarse de que está realmente dependiendo y su consejo como si su vida dependiera de ello, ¡porque en realidad si depende de ello!

## Nuestro Problema o la Invitación de Dios

Recientemente, un amigo compartió conmigo una batalla actual que él estaba sosteniendo con su esposa. En una conversación de cinco minutos mi amigo me dijo algo que, en mi opinión, es exactamente cómo los cristianos deben responder a los problemas de la vida: "Estoy muy emocionado de ver lo que Dios va a hacer a través de todo esto". Piense en la respuesta por un segundo. Él no me preguntó qué debía hacer, él no pidió oración, y ni siquiera parecía estresado por el problema. Estaba en paz y entusiasmado con lo que Dios iba a hacer en respuesta al problema. Me sentí en gran manera alentado por esta conversación, y vi claramente cómo la persona que depende de la voz de Dios va a responder adecuadamente a los problemas inevitables de la vida.

En Deuteronomio 8, Moisés recordó a la gente su experiencia en el desierto con el fin de ver, específicamente, que todos los problemas que habían enfrentado a lo largo de los últimos cuarenta años de vagar en el desierto eran en realidad una invitación a seguir la voz de Dios. Esto, por cierto, es el mismo pasaje al que acabamos de referirnos, cuando Jesús cita a Moisés (Deut. 8) mientras era tentado por el diablo en el desierto (Mateo 4). Echemos un vistazo.

Cuidaréis de poner por obra todo mandamiento que yo os ordeno hoy, para que viváis, y seáis multiplicados, y entréis y poseáis la tierra que Jehová prometió con juramento a vuestros padres. Y te acordarás de todo el camino por donde te ha traído Jehová tu Dios estos cuarenta años en el desierto, para afligirte, para probarte, para saber lo que había en tu corazón, si habías de guardar o no sus mandamientos. Y te afligió, y te hizo tener hambre, y te sustentó con maná, comida que no conocías tú, ni tus padres la habían conocido, para hacerte saber que no sólo de pan vivirá el hombre, más de todo lo que sale de la boca de Jehová vivirá el hombre (Deut. 8:1-3).

Moisés se refiere a los problemas que ellos encontraron, como el no tener comida. Como algo que Dios permitió para que aprendieran a pedirle a Dios y creer en Él en lugar de temer las circunstancias. Esto no solo les enseñó dependencia, como vimos anteriormente, sino que también les ayudó a ver que sus problemas no eran realmente problemas cuando caminaban con Dios. En lugar de ello, era invitaciones a seguir la voz de Dios y obedecer lo que sea que Él les dijera que hagan.

**Debemos aprender que Dios no es la fuente de nuestros problemas, sino más bien la fuente de nuestras soluciones.**

En el desierto, los problemas se convirtieron en una fuente de desánimo para Israel, y ellos escogieron quejarse en lugar de preguntarle a Dios qué hacer. Tal vez nosotros aún hacemos esto. Los problemas de la vida, que son inevitables, se convierten en invitaciones a preguntarle a aquel que conoce cada solución para cada problema.

Dios permitió que los israelitas tuvieran hambre para que le preguntaran a Él, cuál era su plan para la comida. El problema, percibido aquí correctamente, era en realidad una invitación. Creo que seguimos vagando sin soluciones a nuestros problemas porque permitimos que nuestros problemas se hagan más grandes que nuestro Dios. Estamos tan molestos y confusos cuando una dificultad aparece que no somos capaces de preguntarle a Dios acerca del asunto. Nos estancamos en nuestros problemas y nos quejamos de que Dios no estaba allí o que no nos protegió, y negamos el hecho de que está allí para guiarnos a través de la situación si tan solo buscamos su voz y le seguimos.

Mientras que todos encontramos problemas, algunos de ellos son simplemente el resultado de vivir en un mundo caído, otros son ataques del enemigo, y algunos son auto-inducidos por nuestras propias malas decisiones; pero otros son producidos por Dios para sus propios fines. Jesús advirtió a sus discípulos que las dificultades vendrían, pero también les animó a estar en paz, porque ellos estaban siguiendo al que ha vencido todas las cosas. "Estas cosas os he hablado para que en mí tengáis paz. En el mundo tendréis aflicción, pero confiad; Yo he vencido al mundo" (Juan 16: 33). Como seguidores de Jesús no promete una vida sin problemas, pero podemos estar seguros de que Dios siempre nos llevará a través de las dificultades a medida que busquemos su voz.

Nuestros problemas no deben quitar nuestro enfoque en Dios, ni tampoco tienen el derecho de dictar en nuestras emociones si seguimos a aquel que conoce todas las cosas y usa todas las cosas para sus propósitos (Rom. 8: 28-29). Cuando enfrentamos nuestras propias dificultades, debemos retroceder un paso hacia atrás y preguntarle al Señor qué hacer. Nada toma a Dios por sorpresa— Él siempre sabe qué hacer y siempre podemos confiar en que Él nos está guiando.

## Siguiendo la Voz de Dios a través de la Biblia

Mientras no puedo enfatizar lo suficiente la importancia de seguir la voz de Dios, también necesitamos tratar como seguimos la voz de Dios en realidad. Como me ha escuchado decir muchas veces, la Biblia es la primera forma en que aprendemos acerca de Dios y de cómo escuchar su voz.

Es mi convicción personal que cada cristiano debe leer y estudiar la Biblia cada día. Muchas de las cosas que ocurren en nuestras vidas, que potencialmente traen preguntas y confusión, podrían ser rápidamente resueltas en nuestro corazón si tan solo nos dedicáramos al estudio diario de la palabra de Dios. Tengo el hábito constante de leer de tres a cuatro capítulos de la Biblia por día, escribir los versos que me retan o que requieren estudio adicional y meditación, lo que regularmente registro en una página y poco más de mi diario. Esta disciplina regular se ha convertido en algo tan vivificante que no puedo imaginar pasar un día sin ello. El invertir tiempo en la palabra de Dios es esencial para mantenernos sanos espiritualmente y es necesario si vamos a ser personas que escuchemos la voz de Dios.

Mientras estoy dedicado a buscar la voz de Dios a través de mi estudio habitual de la Biblia, también he encontrado que muchas circunstancias me obligan a ahondar aún más profundo en mis estudios. Cuando no estamos seguros de qué hacer frente a una circunstancia, debemos ir automáticamente a la Biblia para ver lo que Dios dice acerca de ello. Por supuesto, hay momentos en que solamente la Biblia responde a nuestras circunstancias de forma general, sin embargo, nos da un marco básico por el cual podemos comenzar a buscar al Señor en oración.

Piense en todos los temas polémicos de hoy, incluso en la iglesia: la homosexualidad, la política, el cielo y el infierno, citas y relaciones, el racismo, etc. ¿Cuántos de nosotros hemos estudiado realmente la Biblia por nosotros mismos sobre asuntos que preocupan a nuestra cultura, iglesias, y familias? ¿Cuántos de nosotros hemos buscado la voz de Dios en la Biblia a través del estudio riguroso de un asunto que enfrentábamos y que necesita ser abordado con la mente de Dios y no sólo con nuestras opiniones?

No puedo decirle cuántas veces me han pedido que ore por alguien para escuchar la voz de Dios con respecto a un asunto que ya está expuesto claramente en la Biblia. El escenario típico es que alguien me pida orar para que Dios provea un nuevo lugar de trabajo debido a que el trabajo actual está plagado de gente ruda y mundana. Si bien puede ser posible que Dios quiera que esta persona cambie de trabajo por alguna razón, creo que la Biblia es clara acerca de qué hacer cuando la gente nos maltrata. La persona me pregunta: "¿Qué es lo que Dios quiere que haga?", Con la expectativa de que voy a orar y dar una palabra profética, o tomar un enfoque reaccionario a su maltrato. Cuando aconsejo a una persona así, yo siempre voy a la Biblia primero: "¿Has orado por estas personas" La respuesta típica es "No." Si la Biblia nos dice lo que debe hacer directamente, esa es siempre la voz de Dios para esa situación. En este caso, leemos: "... Amad a vuestros enemigos, haced bien a los que os odian, bendecid a los que os maldicen, orad por los que os calumnian " (Lucas 6: 27-28).

Amigos, somos bendecidos con la cantidad de conocimiento bíblico disponible para nosotros hoy. La Biblia es la Palabra de Dios (2 Tim.3:16), y contiene lo que Él quiere que sepamos, no es la simple opinión de hombres (2 Ped.1: 20-21).

No tenemos excusa cuando tenemos la perspectiva de Dios en la mayoría de los asuntos en

**Si vamos a seguir la voz de Dios, primero debemos dejar que la Biblia nos hable de nuestras circunstancias, es como si Dios estuviera hablando directamente a nosotros, iporque efectivamente lo hace!**

los que necesitamos saber la mentalidad de Dios. Si vamos a tomarlo por su palabra y seguir su voz, tendremos una mayor paz y un fundamento más sólido sobre el cual tomar decisiones.

### Buscando la Voz de Dios a través de la Oración

A lo largo de la Biblia, somos llamados a buscar la voz de Dios a través de la oración. Estoy seguro que usted ha oído muchas definiciones de oración, pero aclaremos esto: la palabra oración significa "pedir" y "hacer una petición". Eso es todo lo que significa. ¿Demasiado simple, verdad? Usualmente cuando la gente ora, le piden a Dios hacer algo, deberíamos saber exactamente lo que Él quiere hacer, de otra manera podríamos estar pidiendo por algo que está en contra de su voluntad. Esta es la razón por la cual la oración debería ser primeramente para buscar la voz de Dios, y en segundo lugar el pedirle a el que haga cosas.

Con esto en mente, he escrito esta definición de oración: "descubrir lo que Dios quiere hacer y entonces pedirle a Él que lo haga".

Dios siempre responde a nuestras oraciones. El rey David sabía esto cuando oraba para dirigir su ejército a la batalla contra los filisteos. "Y David consultó a Jehová, diciendo: ¿Iré a atacar a estos filisteos? Y Jehová respondió a David: Ve, ataca a los filisteos, y libra a Keila'" (1 Sam. 23: 2). David buscó la voz de Dios a través de la oración y Dios le respondió, y así de la misma forma funciona para nosotros. Recuerde, Dios tiene respuestas para todo, pero aun así él espera que nosotros se lo pidamos. De esta manera, aquellos que oran escucharán la voz de Dios más a menudo que aquellos que no lo hacen.

Durante un tiempo de transición empecé a orar acerca de lo que Dios quería que yo haga. Él me había dado paz para renunciar a mi trabajo, yo no tenía una dirección real de lo siguiente que debía hacer, y esta no es la manera usual en que yo hago las cosas. Así que empecé a estudiar la Biblia y a escribir por varias horas durante el día mientras esperaba que Dios me proveyera dirección. Esa espera era frustrante porque yo quería saberlo inmediatamente. Me habían ofrecido algunos trabajos pero ninguno de ellos lo sentía adecuado cuando mi padre me llamó y me sugirió la idea de trabajar con él en bienes raíces. Colgué e inmediatamente recibí la paz de Dios que esta era la respuesta que había estado pidiendo. Rememorando diez años antes, yo sabía que esta era la decisión correcta. Estoy tan feliz de que Dios responde nuestras oraciones cuando venimos a Él y escuchamos su voz en medio de nuestras circunstancias.

Es tan importante que oremos por algunas cosas antes de tomar decisiones. Seguramente, hay muchas decisiones en la vida, en la que no necesitamos una escritura o una palabra de Dios, como qué película voy a ver esta noche. Pero también hay muchas cosas en la vida en que debemos preguntarle a

> **Es tan importante que oremos por algunas cosas antes de tomar decisiones.**

Dios en lugar de hablar o actuar como si ya supiéramos lo que Dios quiere que hagamos. ¿Puede imaginar cómo hubiera sido la vida de David si él solo hubiera ido a la guerra sin consultar a Dios? Tal vez David hubiera perdido hombres, su reino, o probablemente su vida. Nuestras decisiones deben ser el resultado de lo que Dios dice. Generalmente Dios nos hablará en respuesta a nuestras oraciones.

Le animo a desarrollar un estilo de vida de oración que va más allá de practicarlo un solo día. No solo nos sentamos con Dios una vez al día; ¡caminamos con Él todo el día porque Él vive en nosotros! Yo le pido al Señor sabiduría antes de cada reunión y también le pido que me hable de cómo disciplinar a mis hijos. El punto es que nunca debemos dejar de orar (1 Tes. 5: 17) porque preguntarle a Dios es más que una petición momentánea, es un estilo de vida.

## Siguiendo la Voz de Dios a través del Ayuno

El ayuno es algo increíblemente útil para buscar la voz de Dios. Ahora necesito ser realmente honesto y estoy seguro que usted puede verse reflejado: a mí en verdad me gusta la comida. Me gusta mucho la comida. Ayunar no es fácil para mí. Cada vez que escucho decir a la gente cuanto aman el ayuno, tiendo a pensar que están fumados o que algo muy serio les está ocurriendo (note el sarcasmo). Yo no ayuno por accidente y nunca lo hago ligeramente, sin embargo cuando no tengo claridad sobre un asunto y no sé qué hacer, busco la voz de Dios a través de una combinación de ayuno y oración.

Por definición, el ayunar es abstenerse de comida (o de otras cosas) por un período específico de tiempo para buscar a Dios en oración. En el Antiguo Testamento, Dios le pidió a Israel que ayunara colectivamente una vez al año en el Día de la Expiación así como en otras ocasiones (Lev. 23: 27). En el Nuevo Testamento, tenemos registros de la primera iglesia ayunando y orando junta mientras buscaban a Dios por dirección (Hechos 13:1-2). La tradición eclesiástica confiable y la historia registrada también nos cuenta que la primera iglesia (pos-Nuevo Testamentaria) practicaba el ayuno dos veces a la semana, generalmente el miércoles y viernes.

En mi iglesia invitamos a un ayuno de veintiún días el Día de Año Nuevo, al cual llamamos "Dedicación". El propósito de nuestro ayuno es separar las primeras semanas del año para escuchar a Dios y dedicarle el año en curso para hacer cualquier cosa que Él nos llame a hacer. He descubierto en este, un tiempo increíble de búsqueda de Dios, enfocado en su presencia, y creciendo en intimidad con Él.

El ayuno se menciona más de sesenta veces en la Biblia, y casi en todas las veces está acompañado de oración. El ayuno y la oración van juntos. El ayuno no es una dieta divina o torcer el brazo de Dios para lograr que Él haga algo específico. Dios es un buen Padre y no tenemos que realizar actos religiosos para llamar su atención. En mi opinión, el ayuno es abstenerse de un recurso normal de vida para enfocarse en Dios y en lo que Él está diciendo. Existe mucha distracción dentro y alrededor de nosotros que a veces requiere que quitemos cosas sopara un acercamiento a Dios para poder escucharlo mejor.

**Ayunar ayuda a enfocarse en lo más importante: la voz de Dios.**

¿Qué mayor necesidad física tenemos sino la comida? Como examinamos anteriormente, en medio de un ayuno increíblemente largo y mientras era tentado por el diablo para comer, Jesús dijo que lo que realmente necesitaba, aún más que la comida, era la voz de Dios en nuestras vidas.

Existen muchas clases diferentes de ayuno. Esto es especialmente importante si usted está tomando medicación o tiene algunos problemas físicos que requieren una dieta específica. Recuerde, la parte más importante del ayuno es pasar tiempo con Dios en oración. Si nos negamos a nosotros mismos la comida y no pasamos el tiempo orando entonces no alcanzaremos nada. Los siguientes tipos de ayuno son simples referencias de lo que nos podemos abstener mientras buscamos al Señor en oración. Tome lo próximo solamente como sugerencia. Porque nuestro ayuno va a hacer para el Señor y no para perfeccionar el arte de una disciplina espiritual.

## Ayuno Total

Un ayuno total ocurre cuando alguien pasa completamente sin comida por un periodo de tiempo específico. Hay al menos cuatro referencias en la Biblia en la que las personas ayunaron comida y agua. Sin embargo, solo me estoy refiriendo a la comida como un ayuno total por razones obvias. Si usted escoge hacer un ayuno total, entonces le recomiendo consultar con otros antes de hacerlo, especialmente si usted toma algún tipo de medicamentos.

## Ayuno Parcial

Un ayuno parcial es simplemente estar sin una o dos comidas durante el día de su ayuno. Por ejemplo, usted puede ayunar la comida o el almuerzo y pasar una gran cantidad de tiempo en oración en lugar de esa comida. No hay reglas con este tipo de ayuno, pero usted debe decidir de antemano lo que hará y mantenerse fiel a su compromiso.

## Ayuno de Daniel

Este ayuno viene de Daniel 10, en el cual Daniel experimentó una terrible visión que le provocó abstenerse de toda comida y bebida agradable. Escoger este tipo de ayuno significa abstenerse de todos "las carnes, dulces y manjares". La mayoría de gente come típicamente frutas, verduras y nueces o formas similares de proteína. Existen muchos recursos en línea que proveen opciones saludables para este ayuno, así que recomiendo investigar un poco.

## Ayuno de Entretenimiento (Daniel 6:18)

Algunas veces no podemos abstenernos de alimentos por razones médicas o por dietas. Sin embargo, aun así es posible tomar parte en la oración y el ayuno. Yo le animo enfáticamente a ayunar reemplazando algunas formas de entretenimiento (TV, películas, navegar por internet) con oración, estudio bíblico y un tiempo devocional con su familia. Dios a menudo usa esta clase de ayuno para aquietar las voces en nuestras vidas e incrementar nuestra habilidad para escuchar su voz.

## Pide, busca, llama

Mientras tratamos de buscar la voz de Dios tenemos que recordar que no todo es automático. Dios es Dios, y Él sabe qué hacer y cuándo hacerlo. Nuestro trabajo consiste en confiar en Él, independientemente de las circunstancias. A veces busco la voz de Dios en una situación y no escucho nada. ¿Adivina lo que tengo que hacer? ¡Mantenerme buscando! Mira lo que Jesús le dijo a sus discípulos durante una conversación acerca de la oración.

Y yo os digo: Pedid, y se os dará; buscad, y hallaréis; llamad, y se os abrirá. Porque todo aquel que pide, recibe; y el que busca, halla; y al que llama, se le abrirá. ¿Qué padre de vosotros, si su hijo le pide pan, le dará una piedra? ¿O si pescado, en lugar de pescado, le dará una serpiente? ¿O si le pide un huevo, le dará un escorpión? Pues si vosotros, siendo malos, sabéis dar buenas dádivas a vuestros hijos, ¿cuánto más vuestro Padre celestial dará el Espíritu Santo a los que se lo pidan? (Lucas 11:9-13) La gente con la que Jesús compartió había entendido que el punto principal es que los que persisten eventualmente reciben. Es fácil desanimarse cuando busca que Dios le hable y, por alguna razón, no lo hace. En este punto, antes de que el desánimo se establezca, hay que cavar en nuestros talones y seguir buscando la voz de Dios, sea el tiempo que nos tome. Jesús prometió que los que piden, buscan y llaman eventualmente reciben.

## Una Vida de Respuesta y Búsqueda

Dios está hablando a esta generación. ¿Escucha lo que Él está diciendo? ¿Está dispuesto a abandonar las comodidades, los placeres y los afanes de este mundo para traer un cambio a esta generación? ¿Será usted añadido a la lista de Hebreos 1 al poner su fe en lo que Dios dice y actuar sobre su palabra? Cuando escuchamos a Dios en nuestra generación y le respondemos con una fe inquebrantable, aquellos que se fueron antes sirven para alentarnos.

Por tanto, nosotros también, teniendo en derredor nuestro tan grande nube de testigos, despojémonos de todo peso y del pecado que nos asedia, y corramos con paciencia la carrera que tenemos por delante, puestos los ojos en Jesús, el autor y consumador de la fe, el cual por el gozo puesto delante de él sufrió la cruz, menospreciando el oprobio, y se sentó a la diestra del trono de Dios (Heb. 12:1-2).

Buscar y responder a la voz de Dios es un proceso continuo. Luego que Dios nos habla debemos creerle, obedecerle y a menudo esperar pacientemente hasta que Él cumpla lo que Él ha establecido que va a hacer. Jesús es el "autor y perfeccionador de nuestra fe" (Heb. 12:2), pero nosotros somos responsables de seguir la voz de Dios y responder a lo que Él dice. Nuestras vidas deben estar dedicadas a seguir y responder a Dios, en la medida que lo escuchamos hablar regularmente a lo largo de todo el camino. Puesto que Jesús es el "autor y perfeccionador de nuestra fe," esta vida empieza y termina, cae y se levanta en relación con él. ¡Mi oración es que tengan pasión por buscar la voz de Dios y la valentía de responder de manera que nuestra generación sea para siempre cambiada!

## Capítulo 9 – Preguntas de Repaso

1. ¿Qué es lo que significa para usted depender de la voz de Dios en su vida?

2. Cuando los problemas ocurren en su vida, ¿usted tiende a culpar a Dios o a buscar a Dios?

3. ¿Cuál es su plan diario de lectura bíblica? Si a usted le falta este compromiso, ¿cuál es el siguiente paso para asegurar su búsqueda de la voz de Dios a través de la Biblia?

4. ¿Cómo responderá y buscará a Dios a través de su vida?

5. ¿Qué es lo que más le ha animado acerca de este capítulo y cómo lo aplicará en su vida?

# NOTAS FINALES

1. Vivian S. Park, El Post Cristiano: "Los eruditos encuentran el declive del Cristianismo en el Occidente uno de los momentos transformadores de la historia de la religión mundial, http://www. christianpost.com/news/scholars-find-decline-of-christianity-in-the-west-19971/ (6 de marzo, 2004) Accesado 10/3/2011. África en 1900 tenía 10 millones de cristianos, hoy tiene 360 millones. De acuerdo al investigador David Barrett, autor de la Enciclopedia Cristiana Mundial, África está ganando 8.4 millones de nuevos cristianos cada año.

2. Craig S. Keener, Milagros: La Credibiliadd de los Relatos del Nuevo Testamento (Grand Rapids, Michigan: Baker Academic, 2011) p.296-297. Keener afirma que más del 90% de conversiones en China son por sanidades y milagros.

3. George Barna, La Ultima Frontera Salvaje no Regulada de Influencia, http://www.georgebarna.com/2010/03/the-last-unregulated-wild-frontier-of-influence/ (19 de marzo, 2010), George Barna también proclama que en los próximos veinte años en los Estados Unidos el 70% de creyentes dejará la iglesia local y que se involucrarán en casas celulares o alguna otra forma de adoración. Accesado el 10/3/2013.

4. Craig S. Keener, Mlagros: La Credibilidad de los Relatos del Nuevo Testamento, (Grand Rapids, Michigan: Baker Academics, 2011), 215.

5. Jon Mark Ruthven, ¿Cuál es el error en la Teología Protestante? Religión Tradicional vs. Énfasis Bíblico. Tulsa, Oklahoma: Word & Spirit Press. 2011. 3.

6. NASB Diccionarios de Hebreo Arámico y Griego (updated edition). 1998. Lockman Foundation. La palabra hebrea #5030 para "nabi."

7. Volumen 1, Padres Anti-Nicenos "Los Padres Apostólicos, Justin Martir, Irenaeus" (Capítulo 5, sección "El Martirio de Policarpo").

8. Volumen 1, Padres Anti-Nicenos. "Los Padres Apostólicos, Justin Martir, Irenaeus" (Capítulo 5, sección "El Martirio de Policarpo").

9. Confesiones. San Agustin. Capítulo XII.

10. McPherson, Aimee Semple. Esto es eso: Experiencias Personales, Semones y Escritos de Aimee Semple McPherson.

11. Aimee: Historia de la vida de Aimee Semple McPherson. 74-75.

12. NASB Diccionarios de Hebreo Arámico y Griego (edición actualizada). 1998. The Lockman Foundation. Palabra griega para #2315 para "theopneustos."

13. NASB Diccionarios de Hebro Arámico y Griego (edición actualizada). 1998. The Lockman Foundation. Palabra hebrea para #397 "malak" y palabra griega para #32 "aggelos."

14. NASB Diccionarios de Hebreo Arámico y Griego (edición actualizada). 1998. The Lockman Foundation. Palabra griega para #165 "aion."

# SOBRE EL AUTOR

Benjamín Dixon es el pastor líder de Northwest Church (La Iglesia del Noroeste) y el Director de Ignite Global Ministries. También es el autor de "Profetiza" y el fundador de Immersion Discipleship School (Escuela de Discipulado Inmersión), una escuela de discipulado en línea que ha equipado a miles para conocer a Dios personalmente y alcanzar a la gente eficazmente. Junto con su esposa Brigit, tienen cuatro hijos y viven en Federal Way, Washington.

facebook.com/PastorBenDixon

instagram.com/MrBenDixon

twitter.com/MrBenDixon

**IGNITE**
GLOBAL MINISTRIES

Ben's ministry brings practical wisdom through solid biblical teaching and clear prophetic ministry that goes beyond the four walls of the church. His ministry imparts confidence in hearing God's voice and conviction for reaching people everywhere with the gospel of Jesus Christ.

**If you are interested in having Ben minister in your church or at your event, please contact him through the information below and he will prayerfully consider your request.**

Ignite Global Ministries Website: www.IgniteGlobalMinistries.org
Immersion Discipleship School: www.ImmersionDiscipleshipSchool.com
Ignite Global Ministries Email: info@igniteglobalministries.org

📘 facebook.com/igniteglobalmin

📷 instagram.com/igniteglobal

🐦 twitter.com/IgniteGlobalMin

▶ youtube.com/IgniteGlobalMinistries

Ignite Global Office Phone: (425) 239-6528

# PROPHESY
## RELEASING GOD'S VOICE

### BENJAMIN DIXON

Benjamin Dixon's second book, Prophesy, builds a solid foundation for the purpose and power of the prophetic ministry today. The Bible clearly highlights the New Testament gift of prophecy as a powerful blessing that is meant to encourage, exhort, and comfort the body of Christ. Tragically, however, decades of unbalanced teaching, unaccountable prophecies, and unhealthy prophets have driven many churches and individuals to abandon the prophetic ministry altogether. In these troubling times the church cannot afford to neglect any of the Kingdom resources that God has made available to His people.

*Prophesy* lays out a clear theological framework for the purpose and necessity of the gift of prophecy among us today. Additionally, this book highlights a practical roadmap for how to develop a healthy prophetic ministry in both the church and your personal life. Built on a foundation of biblical truth and seasoned with challenging personal stories, *Prophesy* will surely inspire a passionate hunger in you to "earnestly desire spiritual gifts, especially that you may prophesy!"

"Ben Dixon has written an amazing book that breaks down the prophetic ministry in such a way that even a child can understand and learn to prophesy everywhere they go! I was deeply inspired and learned so much from reading this book and applying the truths and revelations in my daily life!"

–Todd White,

*President and Founder,*
*Lifestyle Christianity and Lifestyle*
*Christianity University*

"I have been greatly blessed by the insight that is carefully written in this book! I highly recommend it as a text book for the study of prophetic ministry and I believe that God will stir and bless everyone who reads this book."

–Dr. Leslie Keegel,
*President,*
*Foursquare Gospel Church,*
*Sri Lanka; Chairman,*
*Global Foursquare Church*

---

AVAILABLE FOR PURCHASE WHEREVER BOOKS ARE SOLD